中部大学ブックシリーズ「Acta」35

# 理系学生のためのリベラルアーツ

## 目　次

## ◇閉会の言葉



## 総括に代えて

# 緒言

本書は、タイトルどおりの「理系学生のためのリベラルアーツ」というテーマで、中部大学教員が意見交換した二時間の実況記録です。私は、その企画と当日の司会進行を務めましたが、議論は私が思っていた以上に充実したものとなりましたので、これを広く残す価値があると判断し、このたび中部大学ブックシリーズ「アクタ」からの出版を企画編集いたしました。

ちなみに、パネリストの人選は、まったく私の独断によるものです。学内で普段お付き合いをする教員の中で「リベラルアーツ」という言葉は使わずともきっとこの人ならばリベラルアーツについてオリジナルな主張を持っているはずだ、と私個人が直感的に思った方々です。特に、純粋な理系研究畑出身の人だけでなく、マスコミ関係や科学コミュニケーションなど、なるべくバックグラウンドが多様な教員を選びました。

なお、結論ありきの「座談会」にはしたくなかったので、パネリスト同士の事前打ち合わせはあえて行っていません（「囚われないこと」こそが、リベラルアーツの本質ですから！）。果たして、当日の私のおぼつかない司会進行はともかく、私の人選と「仕込み」なしのディスカッションというやり方はどうやら正解だったようです。さて、どんな活発な意見が交わされ、どんな有益な提案が出てきたのかについては、どうぞ先のページをめくって見てください。

おそらく、最近のリベラルアーツ復権の機運が高まりつつある中で、「理系学生のためにどんなリベラルアーツ教育をすればよいのだろう」と考えてあぐねている教員、また、「リベラルアーツ教育って私たちにどう必要なんだろうか」と思っている学生も多く居られることでしょう。本書で繰り広げられた議論が、そうした方々にとっての有益な考える材料を提供していることを期待します。

ただし、この本の中にリベラルアーツ教育の「正解」が示されているわけではありませんので、その点はご注意ください。思うに、リベラルアーツ自体に正解が存在しないように、リベラルアーツ教育のやり方も、唯一の正解に収まる性質のものではないのでしょう。それでも、二時間の議論を通じて明確な方向性は見えてきました。それについては、本書の最後に石井センター長が総括されていますので、そちらを見ていただけると分かりよいかと思います。

最後に、本書の出版が、中部大学創造的リベラルアーツセンターが目指す中部大学の、ひいては日本全国のリベラルアーツ教育を前進させる契機の一つとなることを願いつつ、私からの緒言とさせていただきます。

大場裕一

二〇二二年八月　新型コロナ第七波の夏に

## 理系学生のためのリベラルアーツ

開催日時：二〇二一年十一月十五日（月）十三時〜十五時
開催形式：中部大学内会場とＺｏｏｍによるハイブリッド開催

**・パネリスト**（五十音順・敬称略）

磯谷桂介（副学長、理事長補佐、先端研究センター教授、研究推進企画室長）
井上徳之（超伝導・持続可能エネルギー研究センター教授、環境保全教育研究センター）
黒川　卓（工学部工学基礎教室教授、人間力創成総合教育センター教養課題教育プログラム）
小西哲郎（工学部工学基礎教室教授、人間力創成総合教育センター教養課題教育プログラム）
辻　篤子（学術推進機構ＵＲＡ組織特任教授）
津田一郎（創発学術院長・教授、ＡＩ数理データサイエンスセンター長）

・創造的リベラルアーツセンターメンバー出席者（五十音順・敬称略）

石井洋二郎（創造的リベラルアーツセンター特任教授、センター長）
禹　済泰（応用生物学部応用生物化学科教授、創造的リベラルアーツセンター兼任）

大場裕一（応用生物学部環境生物科学科教授、創造的リベラルアーツセンター兼任）

水上健一（生命健康科学部スポーツ保健医療学科准教授）

松本吉博（応用生物学部教授）

・Ｚｏｏｍコメント参加

黒田玲子（先端研究センター特任教授）

司会：大場裕一

## ◇趣旨説明……大場裕一（司会）

**大場**　それでは、「理系学生のためのリベラルアーツ」研究会を始めさせていただきます。

### 厳然として存在する「理系学生」と「文系学生」という自己認識と社会認識

まずは私から話題提供です。これは、ネット検索で見つけられる理系学生と文系学生の典型的なイメージを私がイラストにしてみたものです。それぞれ「理系さん」と「文系さん」と呼びましょう。そもそもリベラルアーツとは理系・文系の垣根を取り払った学びなのですが、一般的に理系・文系というと、こういう理解、認識、誤解が、われわれの間、世間の間、あるいは学生自身の間に歴然とあるわけです。これには偏見の部分もありつつ、当事者あるいは社会がそのように認識しているという部分からして、実態であるとも言えます。

例えば「理系さん」を見てみると、就活に有利、レポート三昧、実習ばかりで忙しい、というイメージですね。一方、「文系さん」は、とりあえず基本ヒマ、留学しがち、教職をとりがちだが諦めがち、といった具合です。これらがどこまで本当かわかりませんが、それを見た人は、当事者だろうと非当事者だろうと、少なからず「確かにそうだよね」という感想を持つでしょう。こうい

うカテゴリー付けがされている中での理系学生にとってリベラルアーツとは何なのか、そしてそれはどうあるべきなのかということを、今日はぜひ忌憚なくお話しいただきたいと思っています。

## 文系と理系に存在するリベラルアーツの受容度の格差

ところで、私の個人的な体験の話になりますが、去る（二〇二二年）五月二十九日、創造的リベラルアーツセンターによる「リベラルアーツと外国語」というシンポジウムが開催されましたが、皆様はご参加いただけましたでしょうか。Ｚｏｏｍ形式で行われたのですが、私も参加しておりました。実は、創造的リベラルアーツセンターのメンバーであるという立場から、議論がもしあまり盛り上がらなかったらサクラで質問しようかと待ち構えておりました。そうしたら、そんなことは全く杞憂だったのです。質問のやりとりは思いもしなかったほど盛り上がって、とても活発で有意義な議論が交わされたことに驚きました。おそらく理系の講演会ではこうはならないでしょう。そのとき私は、「やはり理系と文系にはリベラルアーツの受容（あるいはリベラルアーツ的考え方の受容）の度合いにちょっと格差がある、文系ではリベラルアーツという考え方が非常に受け入れられる土壌がすでにできている」という印象を受けました。それで非常に感じ入るところがありましたので、石井先生から今回の研究会の司会の依頼を受けたとき、それは是非やらせてくださいということでお引き受けした次第です。

## 大学教員だって、リベラルアーツを考えなくてはいけない

ちなみに私は、発光生物（ホタルや深海魚などの光る生き物）を専門に研究しています。そうすると、「そん

な研究が何の役に立つのか」とよく言われます（ちなみに、過去には私同様に発光生物の研究に人生を捧げた人も少ないながらいるのですが、みんな大体同様のことを言われているようです）。「何の役に立つのか」と聞かれたとき、テキトウに「いずれ何かの役に立つでしょう」と誤魔化すこともできますし、「いや、特に何の役にも立ちませんよ」と開き直ることもできるでしょう。

しかし、それを真面目に考えると「私のやっている学問とは何なのか」ということを、常に振り返らざるを得なくなるわけです。私自身にとってリベラルアーツとは、そういった自分の学問に対し、急いで答えを出さずに、振り返って考え続けることなのだろうと思っています。もちろんこれは、科学者、あるいは大学教員としてのリベラルアーツです。つまり私の言いたいことは、大学生もリベラルアーツを考えなくてはいけないと同時に、その教育を行う大学教員自身も、我が事としてリベラルアーツを考えなければならないということです。これから議論に入る前に、まずはそのことを申し上げたいと思います。

さて、中部大学とリベラルアーツの関係を申し上げますと、学生たちを「知識・経験・思考・視野」の限界から解放し、総合的な人間力を培うことを目的とし、二〇二一年四月、中部大学に「創造的リベラルアーツセンター」が設立されました。そこで、本日はまず、センター長の石井洋二郎先生よりリベラルアーツにつきましての基調トークをいただきます。そしてその後、お集まりのパネリストの先生方による自己紹介と、理系学生にとってリベラルアーツとはどうあるべきなのか、について各先生からのコメントをいただきたいと考えています。

なお、本日ご参加いただいたパネリストの方は、いずれも科学技術や科学リテラシー方面でご活動をされている気鋭の中部大学教職員ですから、リベラルアーツについていろいろお考えがあろうかと思います。「そもそもリベラルアーツが要るのか」といったメタなところからでも構いませんので、ぜひ率直にご議論いただければ幸いですが、その前に一つだけお願いです。この研究会は、「理系学生のための」というタイトルのとおり、学生のためのリベラルアーツを考える企画ですので、あくまでも「学生のため」をベースにご議論をいただきたいと思います。

## 学生のためになるリベラルアーツ教育を考えよう

学生がなぜ大学にいるのかというと、一つには「就職」ということがあります。学生は、一人前の社会人になるという目的を持って大学に来ている場合が多いわけです。しかし、大学に行かなければ一人前の社会人になれないのかというと、そうではありません。ですからまず、大学で何を学んで一人前の社会人になるのかというとき、リベラルアーツが理系学生にとってどう大事なのか、もしくは大事ではないのかを考えなければいけません。

それから、冒頭の「理系さん」にもありましたとおり、理系学生は就職に有利だと一般には理解されているわけですが、その理由の一つに、「資格」というものの存在があります。中部大学でも学生はいろいろな資格が取れまして、資格を取るためにすごく頑張っている人だって当然いるわけです。また、教職を取るために頑張っている学生もいます。そういう多様な学生たちがいる中で、リベラルアーツとは何なのかということを今日は議論できればと思っております。

私の説明がちょっと長くなりましたが、ここからは石井先生の基調トークにバトンタッチしたいと思います。

## ◇基調トーク……………………石井 洋二郎 氏

本日は、先生方、お忙しいところご参加いただきまして、まことにありがとうございます。

大場先生から今、本来リベラルアーツは理系・文系を越えるものであるというお話がありましたが、先日NHKで「ジェンダーサイエンス」という番組を見たときのことをふと思い出しました。本当に男性と女性には思考や感情の違いがあるのか、つまり「男脳・女脳」というものがあるのか、という問題にサイエンスで迫る非常におもしろい番組だったのですが、そこでは「男脳・女脳」はそんなにはっきり分けられるものではないというのが結論でした。となると、ましてや「理系脳・文系脳」といったものがあるわけではないと思うのですね。にもかかわらず、日本では教育制度の中で文系・理系という二分法がかなり定着してしまっています。そこで理系学生・文系学生という言い方を踏襲するなら、中部大学では理系学生のほうが数が多く、文系の大体一・五倍だったかと思います。今回あえて「理系学生のためのリベラルアーツ」というタイトルをつけたのは、そういった学生にどういう教育をすべきかが本学にとって喫緊の課題であろうという問題意識があったからです。

### リベラルアーツとは何なのか

議論の前提として、まずリベラルアーツとは一体何なのかという定義の問題を考えなければいけません。これは人によって考え方もさまざまでしょう。従来は、いわゆる「一般教養」とほとんど同義の言葉として了解されてきたと思います。しかし、二十一世紀に入ってもう二十年以上たちますので、その定義自体、そろそろ見直されるべきなのではないか。私自身の考えをひとことで言えば、従来の一般教養がただ幅広い知識を身につけるという受け身のものだったとするなら、これからは、獲得した知識をどのように生かし、どのように連携させ、どのようにさまざまな問題の解決につなげていくのか、それを実践的に体得していくことがリベラルアーツ教育の本旨だろうと考えております。

## 人間を限界から自由にする「アーツ」（知識・技法）

そのためには、いろいろな知識を学ぶこともちろん重要ですが、それと同時に、自分の専門とは異なる分野の人間と対話しながら自分を相対化する柔軟な思考を養うことが必要だろうと思います。そしてそうした柔軟さを身につけるためには、まず自分がとらわれているさまざまな限界から自分を解放しなければいけない。したがって、「リベラルアーツ」の「リベラル」という言葉に、私はliberate（解放する）という動詞的な意味を読みたいわけです。

リベラルアーツとは、人間を限界から解放する、自由にするための「アーツ」である。この「アーツ」という言葉も、もちろん「芸術」という狭い意味ではなくて、さまざまな知識や技法という広い意味でとらえるべきでしょう。それが二十一世紀のリベラルアーツであるというのが、私の基本的な考えです。

今「限界からの解放」と言いましたが、私が具体的に考えているのは、知識の限界、経験の限界、思考の限界、そして視野の限界からの解放です。この四つの限界から解放するものとして、リベラルアーツをとらえたい。その目的は、それによって現代社会のさまざまな問題に立ち向かうための「総合知」、あるいは「統合知」を獲得することであると考えます。

以上お話ししたような考え方については、一昨年中部大学で開いたシンポジウムを本にした『21世紀のリベラルアーツ』（水声社、二〇二〇年十二月）の中で詳しく述べておりますので、こちらをご覧いただければと思います。

ただ、今申し上げたことは理想論であって、実際の教育現場に落とし込むには、やはりいろいろな問題があります。私は二つの側面からこの問題を考える必要があると思っています。一つは教養のコンテンツ、中身の問題、もう一つはどのように教えるのかという方法の問題です。

## 「教養」の変遷

まずコンテンツについて言いますと、現代社会で生きていくために身につけなければいけない教養の内容が、われわれが学生だったころとは――われわれといっても年代がみんな一緒とは限りませんが――随分変わってきていることは確かだろうと思うのです。昔は、理系の学生も哲学や歴史を学ばなければいけないとか、文系の学生も生物学の基本的な知識は学んでおいたほうがいいとか、例えばそういったレベルの話だったと思いますが、近年はそれが随分変わってきています。

これに関連して、大学の認証評価をおこなっている大学基準協会という組織があるのですが、そこで「学士課程教育における現代社会で求められている課題に対応する能力育成に関する調査研究部会」という、長たらしい名称のワーキンググループができております。私もそのメンバーの一人として最近活動を開始したばかりなのですが、そこではまさに現代社会で求められる新しい教養とは何かというテーマで研究が始まっております。そこでキーワードとしてあげられているのが、「データサイエンス」、「ＳＴＥＡＭ」、「文理融合」、「ＤＸ（デジタル・トランスフォーメーション）」、「ＳＤＧｓ」などです。

## データサイエンスとＳＤＧｓはリベラルアーツの不可欠要素

中部大学でも、まさに隣に座っていらっしゃる津田先生を中心にＡＩ数理データサイエンスセンターが発足したばかりですし、ＳＤＧｓも今大学をあげて教育の組織化が進んでいることはご承知のとおりです。これは全国的な傾向でありまして、例えばウィキペディアでちょっと調べてみただけでも、「データサイエンス学部」という名前の学部を持つ大学が、滋賀大学、横浜市立大学、武蔵野大学、立正大学と四つあります。これは学部レベルですが、学部になっていなくても、学科レベルその他でデータサイエンスを学べる機関としては十三の大学があがっています。残念ながら中部大学はこの中に入っていないのですが、これは単にまだ発足したばかりだから認知されていないということなのだろうと思います。

ＳＤＧｓに至っては、これを何らかの形で教育に取り込んでいない大学は、もうほとんどないと言っていいほどです。こうした状況の中で中部大学の独自性、プレゼンスを示すのはかなり大変な作業ではないかと思うのですが、いずれにしましても、従来型の一般教養の枠に収まり切らないこうした新しい学際的なコンテンツが、これからのリベラルアーツ教育にとって不可欠な要素となることは間違いないでしょう。そしてついでに言えば、今あげたいくつかの要素は、どちらかといえば理系的な知に関わるものが多いような気がいたします。

## 中部大学創造的リベラルアーツセンターの活動

以上が内容面ですけれども、方法面でもやはり新しい工夫が求められます。創造的リベラルアーツセンターでは、二〇二四年度から正式に導入されることになっております「リベラルアーツ教育科目」のパイロット授業という形で、いずれも三十名程度に人数を制限し、あるテーマについていろいろな角度から議論することを主眼とした授業を現在いくつか出しています。主に全学共通科目の枠で実施しておりますので、履修している学生は、理系も文系も区別なく、ほぼすべての学部を網羅しています。自分とは異なる分野の勉強をしている学生たちがお互いに触れ合うことで、まさに経験の限界や視野の限界といったものから解放されるきっかけが与えられればと考えております。

これらの授業では、基本的に教員のほうも複数で担当する形をとっております。また、センターの関連教員だけでなく、どの先生方でも自由に参観いただけるようになっておりますので、毎回何人かの先生がいらっしゃって教室の後ろに座っておられます。ですからそうした先生にもその場で意見をうかがったりして、一緒に討論に参加いただく形をとっています。いささか手前味噌になりますが、このやり方は今のところ非常にうまくいっているのではないかと思っています。

今ご紹介したのは一つの方法ですけれども、もちろん担当者によっていろいろな方法があり得るでしょう。コロナ禍でオンライン授業が随分普及しましたので、この際、例えば一方的な講義形式の大人数講義はできるだけオンラインを活用してコマ数を減らし、それで少し余裕ができた部分で少人数の討論型授業を増やすといったことも、中部大学がこれから考えるべき方向性なのではないかと考えております。

以上のような展望を提示した上で、今日はいろいろなお立場から先生方のお話をぜひお伺いしたいと考えております。

## ◇パネリストによる自己紹介とコメント

# 「自分の現在地を知ること」

辻 篤子 氏

辻です。私は新聞社で長く科学報道に携わってきました。アカデミアからは最も遠いところであります。ですから、アカデミアでこういうテーマでどれほどの貢献ができるか全く自信はありませんが、そんな立場から、自己紹介も兼ねてちょっとお話をしたいと思います。石井先生が今おっしゃったような個別に何をどう教えるかというところまではなかなか考えが追いついていませんので、まず、なぜリベラルアーツなのかというところで私が考えていることをお話ししたいと思います。

私は新聞記者として長く仕事をしてきたと今申しましたが、新聞記者時代に聞いてよく覚えている言葉が一つあります。かなり昔の話になりますが、かつてバブル崩壊という大事件がありました。その際、どうも新聞はバブルというものをきちんと報じていなかったのではないかという反省がありました。そのときある先輩が、そのことを踏まえて反省の弁を書いていました。「なぜそれを捉えられなかったのか。言うまでもないことだが、この社会には経済部、社会部、政治部、科学部といった仕切りはない。それを自分たちが勝手に便宜的に仕切りをつくり、その中で見てきたから全体が見えなかったのではないか」というものです。この言葉がずっと私の頭にあったのですが、大学というところへ来てみて、同じことを感じています。

先ほど石井先生もおっしゃったように、この世界の中に理系・文系という仕切りはありません。ましてや、理系の中の物理、化学、生物といった仕切りもありません。ただ、何もないままに社会全体、世界全体を見よと言われてもそれは大変なので、あくまでも便宜的に、いわば自分の陣地として、とりあえず新聞社であれば専門ごとの各部、大学という学問の世界であれば自分の専門分野を持つわけです。その結果、その専門分野に閉じこもって、最終的には社会全体、世界全体を見るのだということを忘れがちになる。しかし、本来取り組んでいく相手は全体であることを忘れてはいけないと思うのです。

## 自分の立ち位置を見極めることに意義がある

そのためにも、私たちが本来対象とすべきこの広い世界の中で自分がどこにいるのか、自分の現在地を知ることが不可欠なのではないかと思います。自分はこの世界の中のどこにいて何に取り組んでいるのか、自分は一体何者なのか、それを考える手がかりを与えてくれるのがリベラルアーツではないかと思います。現在、さかんに分野融合、あるいは融合研究ということが言われますが、なぜかといえば、この世界はあまりにも複雑で、一つ一つの陣地からだけではとても対応できないという、ある意味ごく当たり前のことが再認識されるようになってきたからなのではないかと思います。背景には個々の学問の進歩もあるでしょう。そういった融合を進めようとするときにも、自分の立ち位置をしっかり見きわめること、そして同時に、自分の陣地をあらためて深める必要があると思います。そうしてこそ、外ともつながることができる。ですから、リベラルアーツによって広い世界の中での自分の立ち位置、居場所を知ることが、同時に自分を深めることにもつながる。そこにリベラルアーツを学ぶ意義があるのではないか、そんなイメージを持っています。なぜリベラルアーツを学ぶのか、そこをしっかり認識することが欠かせないと思っています。

一つだけ追加いたしますと、最初に石井先生がおっしゃった「ジェンダーサイエンス」というNHKの番組に私も非常に感銘を受けました。ジェンダーというものを考えるとき、やはりサイエンス抜きには考えられないのですね。リベラルアーツにはもともと天文学などサイエンスも入っています。今日は「理系学生のため」ということですが、文系学生にとっても、自分の立ち位置を知り、自分は何者でこれから何をしていくのかと考えるとき、それこそ理系的なサイエンスも含めた真の意味でのリベラルアーツが必要なのであろうと思っています。

以上です。

**大場**　ありがとうございました。ちなみに、中部大学のリベラルアーツの授業は三年生からの予定となっておりまして、ある程度の専門性を持ってから授業を受けるというのが、いわゆる教養教育とちょっと違うところかと思っております。

# 「自然は分野の垣根を知らない」

小西 哲郎 氏

はじめまして。工学部工学基礎教室に所属しております小西哲郎と申します。よろしくお願いいたします。

私、専門は物理学でして、特に非線形物理学、カオスという現象を研究しています。物理学というのは、世の中にはいろんな現象があるが、根底には法則があり、その法則がさまざまなことを支配しているという考えで広くいろいろなことを説明する学問です。法則で決まっているとしたら世の中はすごく単純で、シンプル過ぎて何も起こらないのではないかと思うかもしれませんが、そうではなくて、決まった法則で世の中は動いているのだけれども、それでもそこから予測不能で複雑なことが生じると示してきたのがカオスの学問です。ですから、物理学の一つの面として、世の中がどのようにできているのかという世界観を提供することがあるのかなと思いつつ、普段は物理学の講義をしています。

## 垣根は人間がつくったもの、その外側にあるのは一つの世界

辻先生から今非常にすばらしいプレゼンがあったのですが、さまざまな分野の垣根というところに非常に共感いたしました。私の尊敬する知り合いの研究者から「自然は分野の垣根を知らない」という言葉を聞いたことがありますが、私たちが学校で勉強している間はばらばらの科目でも、それは人間が便宜的につくっただけのものであって、その外側にあるのは一つの世界なのですね。そういうことが通じればと思いつつ

つ、ではどうしたらいいのかと、普段現場でジタバタしております。

リベラルアーツをどうしたらいいかというのは、実はよくわからないところです。そもそも普段リベラルアーツとはなどということをよく考えていないのですね。「アーツ」という言葉も、大学に入ったばかりのころにはあまりなじみのない言葉なのかと思います。私も、大学の教養学部に入ったら「College of Arts and Sciences」と名前がついておりまして、「おお、『アーツ』なのか」と思った覚えがあります。リベラルアーツが大事という、それはもちろんそうなのですが、では、例えば「リベラルアーツ」を大和言葉でいうなら何なのか。そのようにもう少し砕いた感じで進められたらと思いつつ、そのためには学生とどう話したらいいのか、この会議を通じて考えていけたらと思っております。よろしくお願いいたします。

**大場**　ありがとうございました。「アーツ」という言葉は、一般の人たちはどうしても「芸術」に限定して考えてしまうところがあって、真の意味がなかなか通じないのですけれども、例えば大和言葉では「全人教育」みたいなことがそれにちょっと近いのかなと思っております。

## 「理系の中は細分化で話が合わない」　黒川 卓 氏

黒川卓と申します。小西先生と同じ工学部の工学基礎教室に所属しております。

私は、チェルノブイリの原発事故が起きる前、それほど原発に対する反対者がいないころ、原発の研究をしておりました。しばらく研究をしてから、自分は狭い分野の研究には向かないことを自覚し、専門雑誌の出版社に移りました。その五カ月後にチェルノブイリ原発の事故が起き、原子力に対する考え方がそれまでとは大きく変わりました。世の中の意見というのはコロッと変わるものなのだなと思いました。それから三十年間ほど、専門出版社と、辻先生と同じく新聞社におりました。

### 細分化が進んでいる中で、どのように教育すればよいのか

科学技術記者をし、研究者だけでなく、政治家や企業経営者などいろいろな人々にたくさんお会いしました。駆け出しのときは取材するたびに「何も知らないね」と言われ、自分なりにその分野を少しずつ勉強しながら取材に臨み、とにかくたくさんの人々の意見を伺ってきました。理系か文系どころか、理系だけ見ても大変細分化されていて、取材先はそれぞれの領域のことには詳しいのですが横とのつながりが弱いと感じました。私は偉そうに言える立場ではありませんが、物理学、化学、生物学など、すべて同じ日本語でも、言語が違うというぐらい言葉の使い方や意味、考え方が異なることがわかりました。

もちろんどれが正しいか正しくないか、私は決められません。今でも自分自身、分野が異なる人々に会って勉強しながら、細分化した内容を学生にどのように教えたらいいのか、私の考えを押しつけてはいけない等々、いろいろなことを考えながらやっております。今日この研究会の中で皆さんのいろんなご意見を伺いながら、また一歩先に進みたいと考えております。よろしくお願いいたします。

# 「若い人は必要なものに敏感です」

井上 徳之氏

超伝導・持続可能エネルギー研究センターの井上です。私が研究者として赴任したのは核融合科学研究所でした。当時、飯吉理事長が所長をされていました。私はプラズマ真空容器の設計・建設を担当しました。共同研究先の北海道大学で「地上に宇宙空間と同じ真空をつくって研究するより、自分が直接宇宙に行って研究したい」と宇宙飛行士になったのが毛利衛さんでした。二〇〇一年に日本科学未来館が開館するときに、私は毛利館長のスタッフになりました。設立理念は「科学技術を文化として捉え、社会に対する役割と未来の可能性について考え、語り合う場」です。科学コミュニケーションのための、すべての人に開かれた場所をつくろうという取り組みでした。

## 若い人は「必要」に敏感

翌年から「スーパーサイエンスハイスクール」が始まり、私は全国の高校との科学活動を展開する学校連携・科学館連携を担当しました。毛利さんから、若い人は「必要なものに敏感です」と言われました。必要と思えば、教科書に載っていなくても、インターネットやパソコン・ゲームなどに夢中になります。逆に、必要を感じなければ、教科書の内容でも興味を示しません。このリベラルアーツに必要が感じられ、若い人たちにすっと入っていくという期待を持って、今回参加しました。

当時、「理科離れ」といわれる、先ほどのジェンダーに関わるところですと、理系女子を「リケジョ」と呼んで、これを増やすための女子対象の政策が盛んになりました。ただ、基本は男女共同参画のはずです。男女共同で物事に取り組む楽しさでなく、女子だけを集める活動には疑問を持ちました。先ほど、理系対象のリベラルアーツについて、理系が対象だからこそ文系も一緒にというお話があったことを大切に感じ、この考えを思い出しました。今日はいろいろな視点から考えを深めたいと思っております。よろしくお願いします。

# 「多様なコンセプトに触れて発想を豊かに」

磯谷 桂介 氏

四月から学術研究担当副学長をしております磯谷です。よろしくお願いします。

私は、一九八四年に旧文部省に入省し、昨年九月末に定年退職いたしました。行政官をしてきた間に、五つの大学の現場を経験し、地方公共団体への出向や海外勤務も経験しました。特に大学の経験が比較的長かったので、その分様々な分野の研究者とお話する機会がありました。そういう現場の声をいかに政策に反映させるか、あるいは、いかに先生方に政策を理解していただくかということに取り組んでまいりました。そうは言いながらも、行政官ですから、一年半から二年弱程度でポストが変わるという非常に乱暴な生活を送ってきました。そんな私がリベラルアーツを語らなければならないということで、石井先生や津田先生をはじめすばらしい先生方を前に、本当に緊張しております。

少し長くなって申し訳ないのですが、四枚ほどスライドを用意しました。

## 知的好奇心を育てて、想像力を豊かにする

本日のお題は、理系学生、つまり自然科学系、工学系の学部に所属されている学生のためのリベラルアーツとのことですので、理系学生のみならず文系学生もという話はちょっと置いておくとして、そもそもなぜリベラルアーツが必要なのか。これは先ほど石井先生がおっしゃったことに私も賛同するのですが、少し直

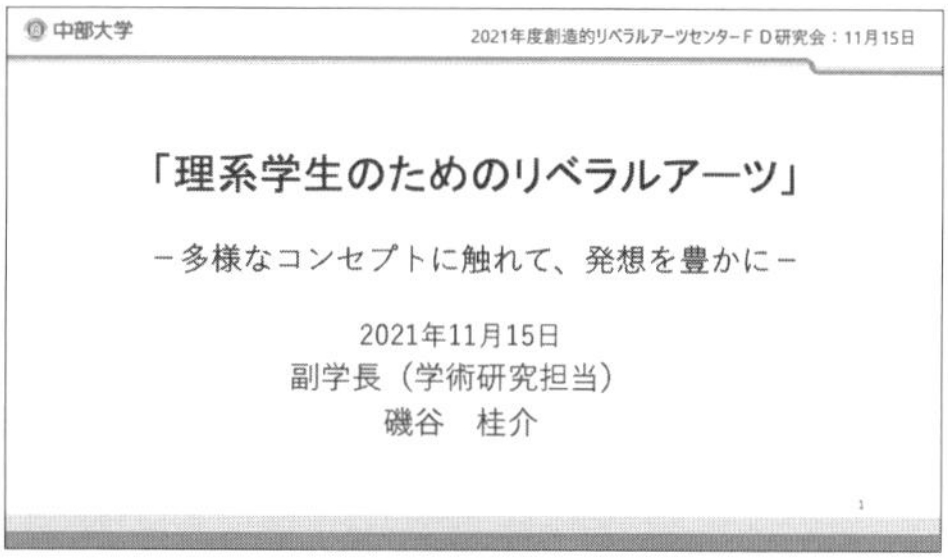
中部大学
2021年度創造的リベラルアーツセンターＦＤ研究会：11月15日
「理系学生のためのリベラルアーツ」
－多様なコンセプトに触れて、発想を豊かに－
2021年11月15日
副学長（学術研究担当）
磯谷　桂介
1

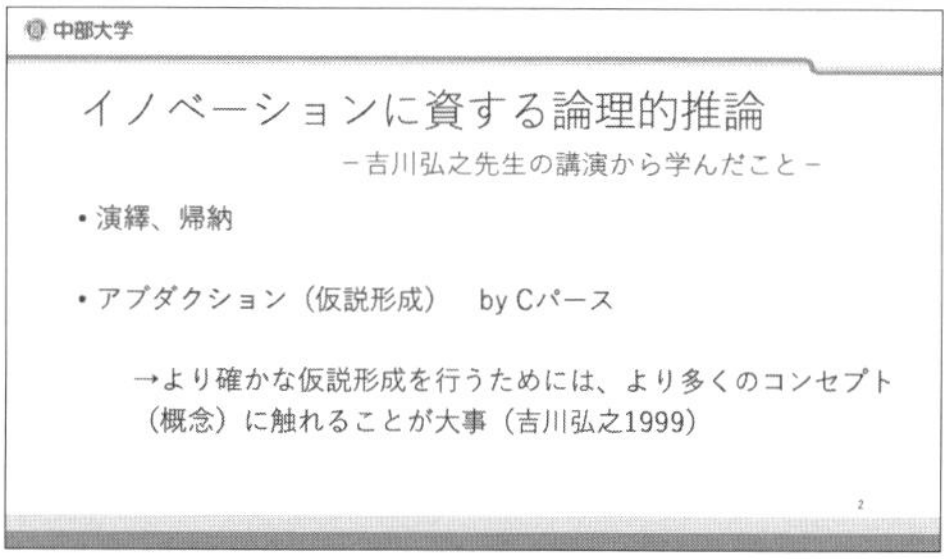
中部大学
イノベーションに資する論理的推論
－吉川弘之先生の講演から学んだこと－
• 演繹、帰納
• アブダクション（仮説形成）　by Cパース
→より確かな仮説形成を行うためには、より多くのコンセプト（概念）に触れることが大事（吉川弘之1999）
2

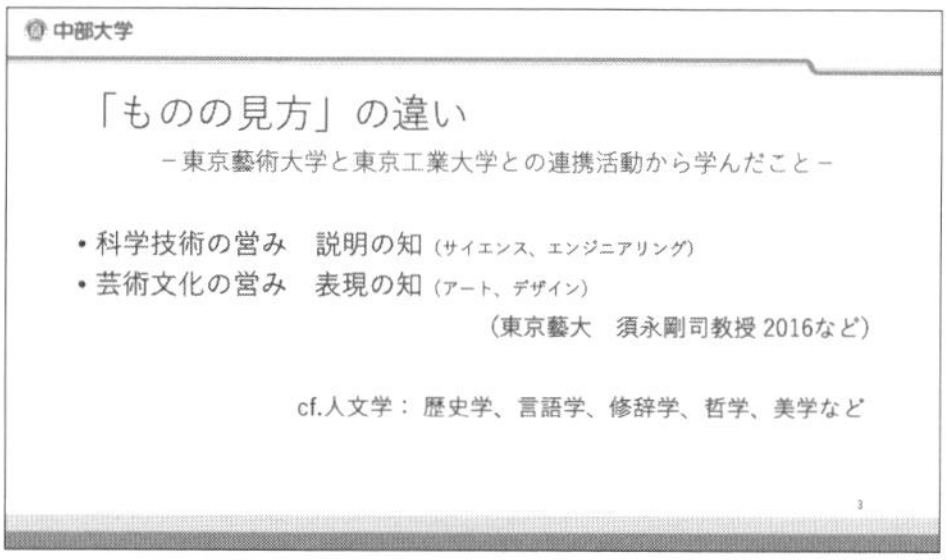
中部大学
「ものの見方」の違い
－東京藝術大学と東京工業大学との連携活動から学んだこと－
• 科学技術の営み　説明の知（サイエンス、エンジニアリング）
• 芸術文化の営み　表現の知（アート、デザイン）
（東京藝大　須永剛司教授 2016など）
cf.人文学：歴史学、言語学、修辞学、哲学、美学など
3

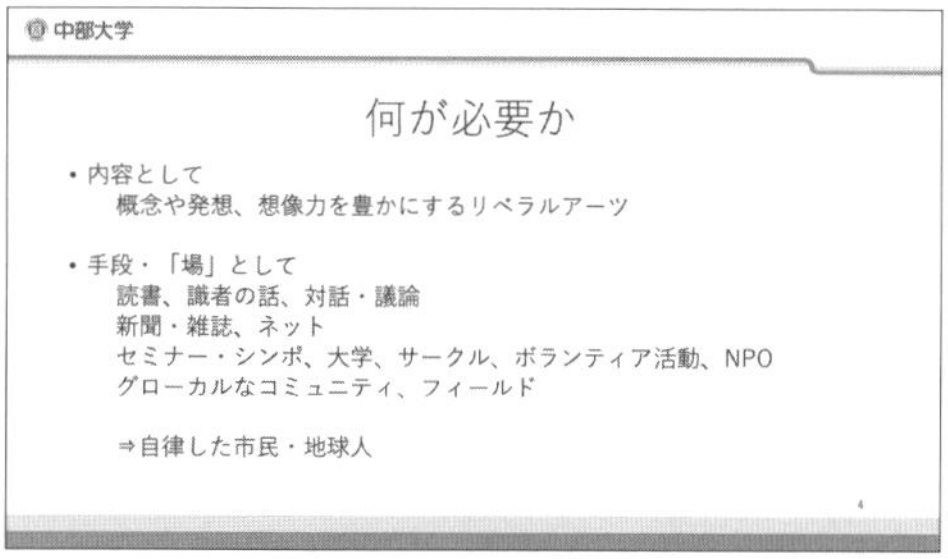
中部大学
何が必要か
• 内容として
概念や発想、想像力を豊かにするリベラルアーツ
• 手段・「場」として
読書、識者の話、対話・議論
新聞・雑誌、ネット
セミナー・シンポ、大学、サークル、ボランティア活動、NPO
グローカルなコミュニティ、フィールド
⇒自律した市民・地球人
4

接的にいうと、多様なコンセプトに触れて発想を豊かにするということが大きなポイントなのではないか。もう少し言いかえますと、知的好奇心を育て、想像力を豊かにするためではないかと思います。

私が北陸先端科学技術大学院大学にいたころ、東京大学総長をされた吉川弘之先生に来ていただいて、その講演を聞いて目から鱗が落ちるような思いをしたことがありました。先生方には釈迦に説法で申し訳ないのですが、吉川先生は、代表的な思考法には演繹と帰納の他にもう一つ、一九〇〇年前後にチャールズ・サンダース・パースが唱えたアブダクション（仮説形成）というものがあるとおっしゃいました。因みに私はそれまでパースのことはあまり詳しく知りませんでした。

大ざっぱにいうと、今までにどんな経験やデータがあるかといったビッグデータに基づいてコンピューターが処理するようなものが帰納法であり、方程式や原則に何かを与えると答えが出てくる、それを積み重ねるようなものが演繹法である。例えば、人間であるソクラテスもその他大勢も、死ぬことがこれまで観察されたので、人間は死ぬ、というのが帰納法。人間は死ぬことが原則だが、ソクラテスが人間であるとわかったとすると、ソクラテスはやがて死ぬはずだというのは演繹法。一方、アブダクションとは、ある日ソクラテスが死んでいるのが見つかったが、死んだということは、おそらくソクラテスは人間なのではないかと推論するといったことであると。

## いろいろなコンセプトに触れるリベラルアーツ教育を

津田先生や石井先生は厳密にはその説明は違うとおっしゃるかもしれませんが、要するに、そういう仮説をつくるためにはさまざまなコンセプトを知っていなければいけないわけです。例えば、人間は死ぬ、チョウチョウは死ぬとかいうことだけではなくて、生物全体が死ぬのだと。それから、死ぬという事象は機械の世界でも起こるとか。あまりいい例ではなかったかもしれませんが、そういういろいろなコンセプトに触れることが仮説形成には大事だとのことでした。私は、リベラルアーツを学んでさまざまな概念やコンセプトに触れることにより、理系の学生が得るものは大きいと思います。先ほど就職に役立つというようなお話がありましたけれども、職場に入ってからも、いろいろな物の見方ができることは有力な武器になるでしょう。

もう一つ話題提供なのですが、サイエンス・エンジニアリングとアートについては、いかに両方を大学の教育あるいは研究の中に取り込めるのかという議論が以前からありました。私が文化庁審議官をしていた二〇一五～一六年ごろ、親しくさせていただいていた当時の東京工業大学の三島学長や東京藝術大学の宮田学長と話をしているうちに、藝術大学と工業大学で何か連携できないかということになり、勉強会をしたことがあります。

その中で、藝大の須永剛司先生が、科学技術の営み、サイエンスやエンジニアリングは説明（explanation）の知であるが、芸術文化の営み、アートやデザインは表現（expression）の知であるとおっしゃっていました。これにもいろいろ議論はあると思いますが、サイエンスやエンジニアリングに携わっている人たちがアートやデザインという全く別のコンセプト、全く別の視点に触れることは、豊かな想像力の育成につながるのではないかと思います。

## 様々な手段・機会を活用しよう

長くなりましたが、何が必要かというと、内容としては、石井先生をはじめ先生方が先ほどからおっしゃっているような、概念や発想、想像力を豊かにする「リベラルアーツ」というものがあります。これに触れる手段や場所としては、今日もいろいろなアイデアが出るかと思いますが、読書や識者の話や互いの対話・議論の他に、ここには新聞記者出身の黒川先生や辻先生がおられますが、新聞・雑誌、ネットなどの機会もあります。グローカルなコミュニティやフィールドというのも非常に大事だと思います。中部大学には、国際関係学部や人文学部の先生の中に、特にフィールドに強い方々も大勢いらっしゃいます。恵那のキャンパスもありますし、春日井のこの地そのものもリベラルアーツのフィールドと言うこともできるかと思います。

すみません。雑駁な話を早口でまくしたてましたが、どうぞよろしくお願いします。

# 「一般教養とは異なる概念として再構築する」

石井 洋二郎 氏

私は本来、フランス文学・思想の研究者です。したがって、「文系・理系」ということでいえばまさに純粋に「文系」ということになるのですが、その一方、前任校で教養学部長などを務めていたこともあって、数年前から「教養とは何か」ということを学生たちに話したり、短い文章を書いたりする機会が何度もありました。その中で、自分が昔学んだいわゆる「一般教養」、俗に言う「パンキョー」が二十一世紀に入った今もなお果たして有効なのだろうか、自分が学生だったころからもう半世紀も経つ現在、インターネットをはじめとするテクノロジーの進歩がますます加速する状況を踏まえてみると、やはり二十一世紀には二十一世紀にふさわしい教養教育というものが必要なのではなかろうか、という問題意識をもつようになったわけです。

## キーワードとして浮かんできたのが「リベラルアーツ」という言葉でした

そこでキーワードとして浮かんできたのが、「リベラルアーツ」という言葉でした。この言葉をいわゆる「一般教養」とは明確に異なる概念として再構築し、具体的な授業として実践することが、今の大学に求められている重要な使命なのではないかということですね。中部大学には二〇一九年四月からお世話になっておりますが、ここではそうした経緯から、「創造的リベラルアーツセンター」を立ち上げることを赴任以来の主な仕事にしてまいりました。おかげさまでようやくこの四月に立ち上がりましたので、今は先ほどご紹介したパイロット授業をおこなったり、大場先生からもご紹介いただいたように、外部からパネリストを招いてシンポジウムを開催したりしております。来年あたりにはぜひ、「リベラルアーツと自然科学」というテーマでシンポジウムをおこなってみたいと思っております（注：二〇二二年七月二日（土）に開催）。

今五人の先生方から大変刺激的なお話をいただきましたので、それについてはまた後で議論を展開できればと思います。とりあえず私からは以上です。

# 「いろいろな学問に出会うことで知が開かれる」

津田 一郎 氏

私は最初、数学がすごく好きでした。しかし、高校ぐらいになると、何でもかんでも勉強すること自体に興味が湧いて、受験では理系のほうに割り振られたのですが、あまり理系ということを意識せず、文系の科目も結構それなりに勉強しました。何でもやっていたような記憶がありますが、中でも一番好きだったのは数学でした。ところが、数学は能力の高さが非常にはっきりわかるのですね。数学はできるがセンスはないというのが自己評価でした。

これにはレファレンスがあって、すごく数学のセンスのある友達がおりました。その人と三年間、学校の行き帰りで三十~四十分ずつ、一日にすると一時間以上でしたが、ずっと数学の議論をしたわけです。そうすると、向こうにはセンスがあり、こちらにはないことが明らかでした。なぜ明らかだと思ったのかはわかりませんが、とにかく数学にはセンスが非常に大事で、それが自分にはないとわかって諦めました。一年近くぼーっとしていた気がしますが、あるとき物理に出会い、これが非常におもしろかったので、物理をやりたいと思うようになりました。そのあたりからちょっと専門化していったような気がします。

## 理系文系すべてを広く勉強したのはよかった

大学に入っても数学と物理は非常に好きで、専門的に勉強しましたが、文系の授業にも結構出ていました。特に哲学とか歴史とか、日本国憲法の授業も結構好きでした。当時は教養部と言われていましたが、一年生と二年生で理系・文系すべてを広くいろいろ勉強できました。これはよかったのですが、三年生になると専門化し、物理学科に入りましたので物理だけになりました。大学院へ行くと、物理の中でもさらに専門化しました。物理学をすべてわかっていた最後の人はレフ・ダヴィドヴィッチ・ランダウであり、物性物理をすべてわかっていた最後の人はP・W・アンダーソンですから、物性ですら、すべてわかっている人は今やもう世界中のどこにもいない。素粒子も原子核も天体も、みんなわかっているようなことを言っているけれども、恐らくすべてわかっている人はいないのではないか。

ところが、先ほど小西さんが話されたカオスという問題があって、これはやってみるとありとあらゆるものに関係するのです。私も大学院のときカオスという現象に出会いまして、それ以来カオスはものすごく好きですが、それに関連した複雑系というようなものの研究会をまさに小西さんたちと一緒に開いたりして随分盛り上がりました。世間もすごく盛り上がったのですが、世間の盛り上がり方は私にはちょっとよくわかりませんでした。われわれはそれとはちょっと違いまして、物理だけやっていても見えるものも見えないような気がしていたときにカオスとか複雑系とかいうものが話題に上るようになり、それを若い連中と集まって議論したわけです。

## 物理だけやっていても見えるものも見えないような気がしていた

これは非常によかったと思います。いろんな専門家が集まって議論するのですが、当然言葉がみんな違うのですね。例えば、数学と物理でも、同じ言葉を使っているのに全く定義が違ったりするのです。数学と物理ですら専門のところではなかなか話が合わないのですが、複雑系というような形で議論すると、そこではもはや自分たちの使う専門用語だけでは話せませんので、何らかの共通理解を得ようとするわけです。そういうような活動がずっと何年かありまして、視野が広がったというか、非常によかったという感じがしています。このあたりに理系学生のためのリベラルアーツの一つのヒントがあるのかなと感じているところです。

私の「リベラルアーツ」のイメージですが、「リベラル」ということで辞書を引くと、最初に「気前がよい」と書いてあるということをどなたかが言っていました。これは誰かの受け売りなのですが、辞書で確認したら確かにそうでした。最初の一番に「気前がよい」と書いてあり、いわゆる「自由」とか何とかいうことは三番か四番ぐらいに書かれているのです。先ほど石井先生は「liberate」、限界から解放するという意味を言われましたが、これも一つなるほどと思いました。では自分の能力をいかに限界から解放するのかというと、これは多分人によってそれぞれ違うのでしょう。だとすると、精神を解放するためにいろんなものを与えておかなければいけません。まさに気前よくいろいろなサブジェクトをそろえておいて、さあ、どれでも食べてください、どれでも味わってくださいと、アーツですから当然技法がないといけないのですが、ある技法に基づいて気前よくいろんなサブジェクトを提供するというのがリベラルアーツなのかなというイメージを持ちました。

ただ問題は、教養部をリベラルアーツと明確に言っていたのは東大ぐらいかと思うのです。東大は教養学部ですから、やはりちゃんと言わなければいけないというので、リベラルアーツという言い方をしていたのだと思います。他の大学で明確に教養部をリベラルアーツという意識で運営していたかどうかというと、私は学生としてしか経験がないのでわからないのですが、ちょっとクエスチョンだと思います。

## いろいろな学問に出会うことで目が開かれた

とはいえ、私自身も感じたことですが、われわれが大学に入って、教養部でいわゆるリベラルアーツを学んだとき、確かにある種自分が解放された気分にはなったのですね。どう解放していったらいいのかはすぐにはわかりませんでしたが。でも、今までちょっと窮屈だったのが、何らかの限界を打破するというか解放するというか、いろいろな学問に出会うことによって少し知が開かれ、目が開かれたような気分になったことは、どうも確かだという気がします。

ただ、どう解放していったらいいのかと考えると、また悩みが深くなり、逆に相当苦しくなったようなところもあったかと思います。ですから、どうも単に気前よくあれもこれも置いておけばいいというものでもないようで、そのあたりで恐らくアーツという部分の重みが非常に増すのではないかという気がします。今後どのようにリベラルアーツというものをつくっていくのか。石井先生は二十一世紀型のリベラルアーツということをおっしゃっていて、本もお書きになっているそうですので、ぜひ読ませていただきたいと思いますけれども、恐らく昔のわれわれの時代のリベラルアーツとはまた違う解放の仕方というのがあるのだろうと思います。そのあたりを今日、もし何らかの形で議論でき、答えがわかってくるとありがたいと思います。よろしくお願いします。

**大場**　ありがとうございます。実は私、津田先生の『心はすべて数学である』（文藝春秋社、二〇一五年）を読ませていただきまして、すごく影響を受けました。学問分野間を越えたところに生まれる新たな視界というものに非常に感じるものがありました。それから、石井先生に関しましては、ピエール・ブルデューというフランスの哲学者の本を読んだとき内容がさっぱりわからなかったのですが、そのブルデュー哲学を読み解いた石井先生の『差異と欲望』（藤原書店、一九九三年）という本を読んだらスッとわかったので、これはすごいなと思いました。やはり分野を超えたいろいろの物事が見えている人というのは「説明力」が半端ないなと（笑）。でも、私がこれらの本を読んだのは大学生のころでなく、大学院生のころや教員職に就いてからで、だからこそ感心したわけで、やはりリベラルアーツは学部一年生・二年生というよりもある程度自分の専門性を備えた三年生以降や大学院生でなければ感じられないものがあるのかもしれないなと、津田先生のお話を聞いていてあらためて思いました。

# 「自然科学が人文的な考えの大きな部分を占める」

松本 吉博 氏

松本です。私は大場先生と同じ応用生物学部で、もともとはＤＮＡの修復・複製、それに関連して抗がん剤のメカニズムみたいなことを専門としてきました。ずっと理系にいたのですが、その中でも少し哲学みたいなものに興味がありまして、アメリカにしばらくいたときには、学生さんに混じって科学哲学のクラスなどに出席しておりました。何年前だったか、ちょうど『科学革命の構造』五十周年の講義で、『科学革命の構造』だけでなくその前後のものも含めてすごい量を読まされ、ちょっとついていけないぐらいでした。もう一つ、心の哲学というのも少しおもしろいかなと思って、それもちょっとオブザーバー的に参加させてもらいました。

## 自然科学的な考えが人間の歴史を左右する

そこに至るまでのところで一つ思い出すのが、ベストセラーになったジャレド・ダイアモンドの『銃・病原菌・鉄』（草思社、二〇〇〇年）です。もう二十年以上前になりますが、リベラルアーツというよりも、私にとって、理系と文系の融合、あるいはその垣根をどう外せるかということを考える一つのきっかけになりました。自然科学的な考えが人間の歴史を非常に大きく左右し得ることが示されておりまして、自然科学が人文的な考え方においても非常に大きな部分を占めるということにすごく衝撃を受けました。それ以来、理系にあまり興味のない人にも自然科学のことを知ってもらいたいと思うようになりました。

今この大学の授業としては、「生物と環境」という教養科目の後半、環境の部分を受け持っており、来年度からは、今日はオンラインで入っておられる禹先生と二人で「科学と哲学」という授業を担当することになっています。内容的にはまだこれからいろいろ考えていく必要があるのですが、そういう面からも、リベラルアーツをどう考えるのかというところをこの会でいろいろ学んでいきたいと思っております。

# 「科学史や科学哲学を考えることから」

禹 済泰 氏

対面で参加したかったのですが、今アメリカに出張中で、ユタ州におります。ちょうどつなげることができてよかったです。

私は、工学部、農学部、医学部など、いろいろな学部で応用に関して学ぶチャンスがあったのですが、最終的に取った学位はPh.D.です。哲学博士とはいえ、実は私、哲学の博士を授与されるまで、哲学を教えられたことはほとんどありませんでした。科学を研究しながらも、科学の歴史は教えられておらず、哲学も教えられていません。ほぼ独学です。科学をするには科学の歴史や哲学を知らなければいけないと気づき、中部大学へ来てからもう二十年たちますが、機会があれば講義の中でも自分で研究した哲学の話をしました。卒業生の話を聞くと、私の講義ですごく心に残っているのは、専門科目の内容ではなく、むしろ哲学の話だともよく言われます。

私は五年前から大学院での五回の授業担当の中に哲学的なことを取り入れてまいりましたので、ここでちょっと画面共有し、それを簡単に紹介したいと思います。これが私の大学院での五回の講義の内容です。まず、リベラルアーツと科学。次に、科学哲学（方法論の歴史）。これは論理実証主義や反証主義、トーマス・クーンのパラダイム概念などを紹介しています。

授業内容（大学院授業）５回担当

リベラルアーツと科学

科学哲学（方法論の歴史）

パラダイム概念

アポトーシスと癌細胞→部分と全体（地球にとって人間とは）

私にとっての科学（研究・教育・地域貢献）

また、先ほど細分化の話が出たのですが、部分と全体について。細胞と体、人間と地球ということで、地球にとって人間とは何かというテーマで話をします。最後に、私にとって科学とは何かという内容になっています。

## 学生は科学哲学に対してすごく反応している

ちょうど先週は、部分と全体の概念について話をし、学生から感想を書いてもらいました。今週一緒にシェアする予定ですが、これを見ると、学生は科学哲学に対してすごく反応しているように思います。ある学生は、自分の研究で部分と全体を応用したいと考えており、〝自分の人生観、世界観を存在論、認識論、倫理論から点検することがとても役に立つというような表現をしています。ある学生は、先ほどの『科学革命の構造』の中身であるパラダイム理論に関して、自分の研究テーマにおいて実験方法や結果に矛盾を感じたら、部分と全体の問題から見て十分に考えて解決しようと動き出したときに成長が起こり、パラダイム転換が起こると思う〟と言っています。あるいは、〝自分の成長のきっかけにしたい〟、〝思考のシフトのきっかけにしたい〟、〝研究室や大学単位で自らの行動をあらためることができればと思う〟と言っています。大学院一年生と学部四年生が参加しているのですが、思った以上に反応しています。

私から見ますと、理系学生にとってのリベラルアーツは、まず科学史や科学哲学を考えることがスタートになり、そこから自然に倫理論や認識論へといった広がりが出てくるのではないかと思っております。今日の議論の種になればと思って申し上げました。

# ◇自由討論

**大場**　ありがとうございました。ここまで、パネリスト全員から簡単な自己紹介と一言をいただきましたが、ここからは自由に議論していただきたいと思います。

いろいろ議論が出てきた中で、ここは違うのではないか、ここは賛成する等々、恐らくそれぞれコメントをお持ちと思いますので、発言なさりたい方は

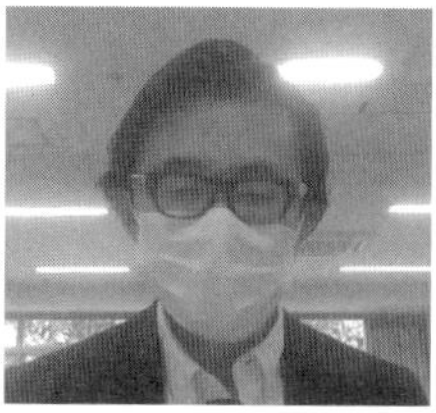

挙手いただければと思いますが、いかがでしょう。

**石井**　では、クロスオーバーする論点がいろいろあって非常におもしろかったので、いくつかコメントをさせていただきたいと思います。

まず、今日のテーマはあくまでも、大学でリベラルアーツをどう教えるかということですね。それで、話を聞いていて、リベラルアーツのパイロット授業をしていると先ほど申しましたが、その中での出来事をちょっと思い出しておりました。

今年の秋学期は、フランスの宗教思想を研究しておられる鈴木順子先生（創造的リベラルアーツセンター准教授）と一緒に「科学と宗教」という

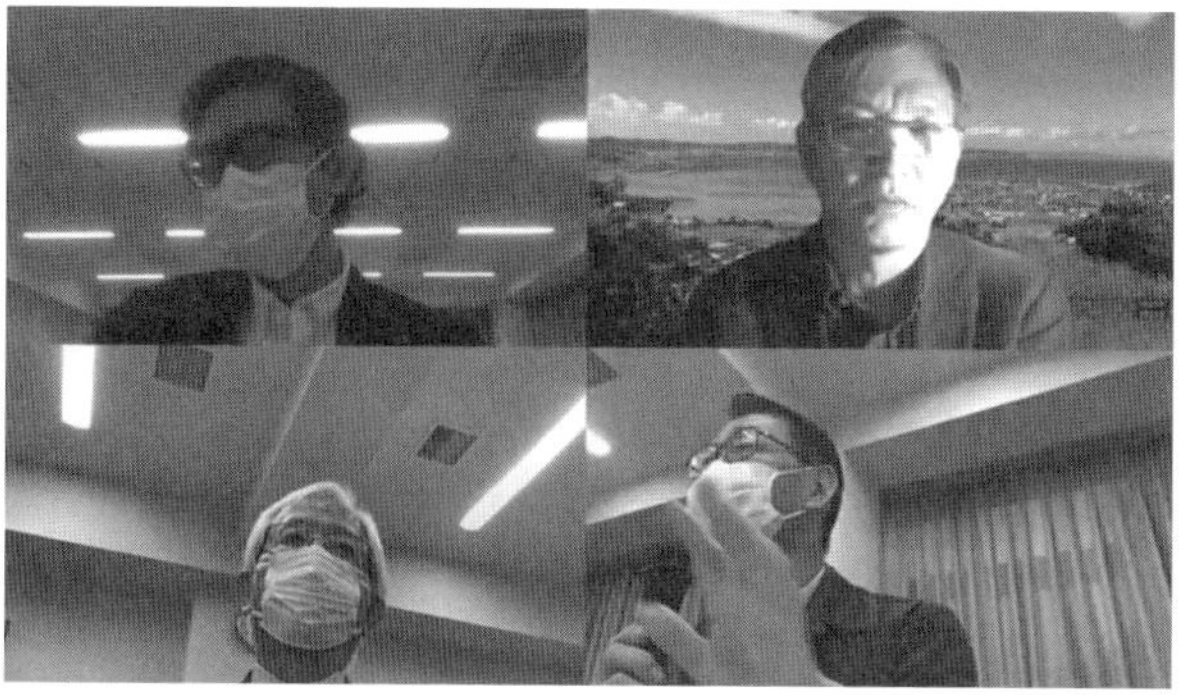

テーマで授業をしておりますが、最初に「リベラルアーツ」という言葉を聞いたことがある人はどのぐらいいるかと聞いてみましたら、皆無でした。今の学生は、やはりこの言葉を耳にしたことすらない。まあそんなものかなと思います。ところでその同じ授業で「科学者は神を信じるか信じないか」という議論をしていたとき、アインシュタインは神の存在を信じていたということが話題になりました。すると、ある学生が「ちょっと私にしゃべらせてください」と手を挙げて、「アインシュタインの言葉は、非常に僕の人生に影響を与えたんです。今でも手帳に貼っています」と言うのです。どんな言葉か教えてくれるよう言うと、大事なのは疑問を持ち続けることだ、という有名な言葉でした。その学生が言うには、自分は本当に勉強ができなかったのだけれども、とにかく何でも疑問を持っていいのだと思ったら人生が変わったということでした。それで、もう一つ手帳に座右の銘が貼ってあるというのでそれも見せてもらったのですが、それはイチローの言葉で、壁はそれを乗り越えることができる者の前にしかあらわれない、というような意味のものでした。

## 垣根は越えようとしないと超えられない、それがリベラルアーツの原点

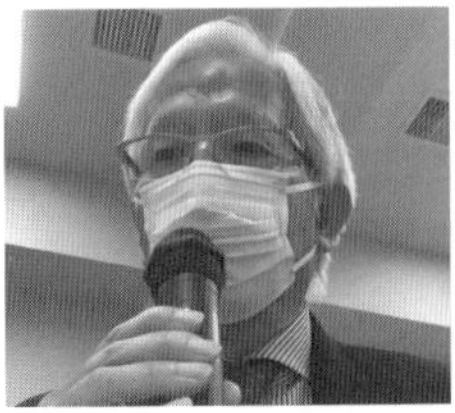

**石井**　この学生は「リベラルアーツ」という言葉は全然知らなかったわけですが、言葉を知らなくてもそれを実践しているのだなと、私は思いました。つまり、何かに対して疑問を持つことがあらゆる学問の出発点であり、壁は越えようとする者の前にしか見えてこない。この「壁」を先ほどから出てきている「垣根」に置きかえてみると、文系・理系、男・女といった垣根がいろいろなところにあって、われわれはなんとなくそれが自然にあるもので越えられないと思っているけれども、本当にそうなのか。実

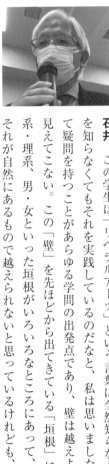

は越えられるのではないかと思って見たとき、初めて本当に垣根というものの実態が見えてくるし、それを乗り越えることもできるようになるのではないか。そしてそれこそがまさにリベラルアーツの原点なのではないか、そんなことを思ってちょっと感動しました。

中部大学で授業をしながら思ったことですが、彼らは確かに知識としてはリベラルアーツについて何も知らないのかもしれない。でも、言葉を知っているか知らないかではなくて、そういう精神を実践しているかどうかが大事なのだということ、これが一つ目の感想です。

もう一つ、専門家どうしでは語る言葉が違うという話が出ました。分野が異なると全く通じない。日本語と外国語という違いではなく、同じ日本語であっても分野の違いによって言葉が通じない。文系でもそういうことがしょっちゅうあります。ですから、自分がやっていることを他の分野の人に説明できる言語を獲得することが、リベラルアーツの一つの目標なのだろうと思うのですね。それが垣根を越えるためのツールになると思うのです。同じ専門分野の人間どうしで話していると、いちいち説明しなくても全部通じてしまうから普段は意識しないのですが、例えば理系の先生方にはいろいろなご専門があって、それをその世界の言葉で語られてしまうと私なんかにはほとんどわからない。それをわれわれのような文系の人間にもわかるよう、どう説明してくださるのか。あるいは逆に、私はフランス文学をやっていますが、そのおもしろさを全くこの分野に関心のない人にどういう言葉で伝えればいいのか。それが垣根を乗り越える言語を獲得するということです。

## 科学技術のインタープリターもリベラルアーツの実践例

**石井**　特に科学技術に関しては、一般の人にもわかるよう伝えることは非常に大事です。例えば、東大には今日Ｚｏｏｍで参加しておられる黒田玲子先生が主導して始められた「科学技術インタープリター」という教育プログラムがあり、今は藤垣裕子先生が継いでいらっしゃるわけですけれども、最新の科学技術を素人にどのような言葉で伝えるのかということを教育しておられます。これもやはり、リベラルアーツの一つの実践例であると感じます。

## 「アーツ＝サイエンス」でなくてはいけない

**石井**　もう一つだけ言わせていただくと、あちこち話が飛んで申し訳ないのですが、私が籍を置いていた東大教養学部の英語名は《College of Arts and Sciences》です。私、実はこの名称にも違和感があるんですね。《Arts and Sciences》といったとき、《Arts》は文系、《Sciences》は理系という前提があるわけですが、それはおかしいのではないかと当初から思っていたのです。私が勝手に変えるわけにはいかないので変えませんでしたが、理系の学問にも《Arts》としての側面はあるし、文系の学問にも《Sciences》としての側面はある。だから本来は《Arts》「と」《Sciences》ではなくて、《Arts》「イコール」《Sciences》でなければいけない。つまりこの二つのタームは両方が統合されて初めて意味を持つものであって、教養学部とは本当はそういう学部でなければいけない。私はずっとそう思っていたということを、最後につけ加えておきたいと思います。

**大場**　水上先生が今いらっしゃいました。簡単な自己紹介をお願いいたします。

**水上**　遅れてしまいましてすみません。他のウェブ会議をどうしても抜けられなかったので、途中からの参

加になりました。スポーツ保健医療学科の水上と申します。

ここまでの流れをフォローできていないので、全く流れと関係ないことを申し上げることをご容赦ください。私自身はずっと身体活動・運動に関連する研究をしてきておりまして、現時点では、フレイルと言われる加齢による虚弱を身体活動・運動で予防するべくさまざまな方法論を用いてアプローチしている状況です。最も興味を持っているのが、運動をすることによって認知機能が改善あるいは向上するということです。また一方で、幼少期の生活習慣などがその後の長い人生の健康に対して非常に大きな影響を与えることも明白ですので、幼少期の生活習慣などが体力や運動能力にどう影響を及ぼし、それがその後のいわゆる健康状態にどのように影響を及ぼすのか、ということについても研究を進めています。

## 身体活動・運動とリベラルアーツ

**水上**　リベラルアーツセンターには協力教員として末席におりまして、先生方の授業などを見学し勉強させていただきながら、担当授業の準備を進めている状況です。私自身は専門的にリベラルアーツに取り組んできたというわけではありません。運動やスポーツといった身体を動かすこととリベラルアーツがどのようにつながるのか、どのように捉えたら良いのかなかなか難しいところがあるのですが、身体を動かすことによるさまざまな気づきや、身体を動かすことによって広がっていく世界があることは感じておりますので、そういったところでリベラルアーツと身体活動・運動をうまくつなげていくことができたらと考えながら取り組んでおります。的外れなことを申し上げていたら申し訳なく思いますが、どうぞよろしくお願いいたします。

**大場**　ありがとうございました。では、挙手いただきました津田先生、どうぞ。

## アメリカ型リベラルアーツの「５つの定義」

**津田**　最初にリベラルアーツという言葉を間違えて使った可能性もあるのですが、ともあれ念頭にあったのは、これがもともと五つぐらいのことをちゃんとやりなさいというアメリカの教養学部の話だったことです。まず「logic」。これは数学をやりなさいということだと私は解釈しています。次に「numerical」。要するにこれは、実験をしなさい、あるいはいろいろなものを定量化しなさいということ。「literature」は、まず自国語で自分の考えをきちんと表現できるようにしなさい、「arts」は、いろいろな技法を学びなさい、最後に「values」は、世の中にはいろんな価値があり、学問にもいろんな価値があるので、それを学びなさいということ。最低この五つのことに着目して勉強してくださいというのが、たしかアメリカ型のリベラルアーツの定義だったと思います。

　これを日本でどう取り入れ、どう実行してきたのか、その辺は私にはちょっとわからないのですが、一年生・二年生のいわゆる教養部というところで実践しようとしてきたのだろうと思います。しかし、少なくともわれわれが大学生ぐらいのころから、それが弱くなってきたような気がします。大学紛争があったせいもあるのかもしれません。因果関係はちょっとわかりませんが、時代的には一九七〇年代後半あたりから、教養部での勉強より専門化したほうがいいという考えで大学の教育がおこなわれてきたように思います。

　ここでちょっと最近あったことを話題にしたいのですが、今年のノーベル物理学賞についてです。日本の新聞やテレビといったマスコミ報道では、眞鍋淑郎さんという日本人がもらったことと、本来対象でない気象・気候学という分野がもらったこと、これも「分野」というのは一つのかたいイメージのものなのですが、そういうことで騒いでおりました。

確かに、眞鍋さんとクラウス・ハッセルマンは気候変動に関係する基礎方程式をつくっています。眞鍋さんはかなりシミュレーションをされていて、ハッセルマンは、ミクロレベルの原子・分子のランダム運動からマクロレベルの巨視的秩序状態を導く統計物理学の手法を使い、マクロレベルの揺らぎ（気象の変動）に基づくメガロレベルの秩序状態（気候変動）がどう出てくるのかを定式化しました。ただ、もう一人もらっている人がいたのですね。ジョルジョ・パリージという人です。

反強磁性体あるいは反磁性体に少量の強磁性体を入れて、つまり銅あるいは金のようなものに鉄をちょっと入れて合金をつくる。反強磁性体は隣り合ったスピンがアップ・ダウンでエネルギーが低く、強磁性体は隣り合ったスピンがアップ・アップ（あるいはダウン・ダウン）でエネルギーが低いので、これを混ぜると、アップ・ダウンでも困るしアップ・アップでも困るということでフラストレートした状態ができる。このスピングラスというのが非常に難しい問題として物理学の中にあり、いろんな天才がいろんな理論をつくって説明しようとしてきたのですが、最後の決定打を与えたのがこのジョルジョ・パリージでした。エドワードという別の人が提案したレプリカ法で、磁気モーメントはランダムだったらスピンを入れかえてもエネルギー状態は変わらないはずだが、ある種の平均をとった後で入れかえると変わる、対称性の破れ（symmetry breaking）が起きる、それがいわゆるガラス転移の肝になるところなのだということで定式化をしました。

世の中の人は、気象・気候学の人が二人と物性物理の人が一人となると、これはどういう区分けでもらっているのだろうとわからなくなるのですね。ところが、ノーベル賞委員会のほうには明確な概念があって、複雑物理系にあげたのだとはっきり書いているわけです。では複雑物理系とは何なのかということです。今回は何に着目したのか。

これはネットにスウェーデン王立科学アカデミーからScientific Backgroundというレポートが必ず出ていますので、チェックいただければと思うのですが、パリージが解明したスピングラスは、ミクロなノイズがマクロなレベルでちゃんと秩序（order）になっていることを意味します。ところが、マクロになったときに、必ずしも秩序にならないことがある。これがカオスです。それは気象学でローレンツという人がローレンツカオスというものを見つけ、気象は数日間の天気の変動を見るので、そこではカオスが出現するから予測ができないということを示したわけです。マクロスコピックには本来秩序が出てほしい。でも、その秩序は下手をすると予測不能なものになる。それはメガロのレベルから見るとノイズに見える。メガロのレベルというのは二十〜三十年オーダーの気候変動です。気象ではなくて気候の変動が起こるのです。そうすると、階層性があることがわかります。つまり、ミクロなレベルでノイズがあると、そのノイズによってマクロなところでオーダーができる。そのオーダーがカオティックになると、メガロのレベルでそれがノイズになり、二十〜三十年レベルの気候変動を生み出す。これを一貫した一つの考え方としていうと、いわゆる複雑物理系が扱っているのであって、その複雑物理系の中で典型的な貢献をした三名にあげるということなので、全然矛盾はないわけです。

## 矛盾した状態を矛盾でないように見ることができる視点を

**津田**　何が言いたいかというと、要するに、ある種の分野分けをしてしまうとなぜ気象・気候とスピングラスなのかという話になるのですが、今のように考えると何も不思議なことではない。ですから、分野間で言葉が通じない、分野間で概念が違うというのは一つの見方ですが、全然違う見方をすればうまく一つの考え方で収まることがあるわけです。今この問題をここで取り上げたのは、リベラルアーツの教育において、ある種の矛盾した状態を矛盾でないように見ることができる新しい視点をいかに学生さんたちに獲得してもらうかということが、一つ重要なのではないかと思ったからです。

ある分野の法則から見るとこれは成立するが、別の分野から見るとちょっと相入れないようだ。しかし、もっと別の見方をすれば全然問題なく収まる。そういうような形の教育ができるといいのかなと。逆に言うと、そういう教育が足りていなかったために、日本のマスコミで今回のノーベル物理学賞を取り上げたとき、全く違うレベルの議論になってしまったのではないか。極めて残念なことですが、これをある種一つの教訓として捉え、新しいリベラルアーツ教育につなげていけたらいいのではないかと思った次第です。

**大場**　ありがとうございます。マスコミというお話がありましたが、井上先生、黒川先生、そのあたりかいかがでしょうか。

**井上**　「学生のための」という点で、先ほど将来の必要ということを言ったのですが、将来についての枠組みとして、例えば、文部科学省の「Society 5.0に向けた人材育成」では、文系と理系を両方学ぶことの重要性や、STEAM 教育の必要に触れています。まさに、STEAMの「A」は「Art/Arts」としてArt（芸術）とArts（リベラルアーツ）の両方に解釈されています。STEAMの前にはSTEMとされていました。Science（科学）、Technology（技術）、Engineering（工学）、Mathematics（数学）の頭文字をとったものです。STEMでは機械的で血が通っている感じがしないといった人がいましたが、Art/Artsが入ったおかげで、人間的な側面を持った人の営みとして物事に取り組むような部分が出てきたと表現されていたことが記憶に残っています。

## 語り合うことで安心して意見を言えるようになる

**井上**　今年から中部大学の大学院で開講された「持続社会創成プログラム」で、私は「科学コミュニケーション」「探求デザイン」を担当していますが、工学部や応用生物学部など理系の出身者とともに、国際関係学部など文系の出身者が一緒に受講しており、文理融合でのディスカッションの時間を多く設けています。最初は黙っていた院生も、語り合うことで互いに認めあい安心して意見を言えるようになりました。学内のいろいろな研究室を訪問する活動を含めており、感想を言い合ったり、先生が自分たちのために熱心に対応してくれたことを語り合ったりしています。総合大学である中部大学には、そういうものが育つ土壌、芽が出る種が非常にあるのだなということを感じながら教員をしております。

学内の交流で保健看護学科の先生から、ナイチンゲールが語った「看護はアートでありサイエンスである」という言葉を聞きました。そのことをすごく覚えていたのですが、さっき石井先生が「Arts and Sciences」ではなくて「Arts = Sciences」ということをおっしゃったので、いろんな現場でそういう言葉が既に活用されているのだなと気づき、また新しい視点を得られました。

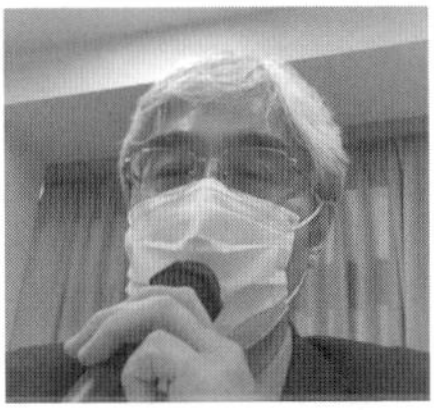

**黒川**　津田先生からご指摘いただいた点はもっともなことですが、報道関係も、発表されたら時間を争ってすぐに報道しなければなりません。取材するにも、やはり一番効率的なのは、過去のノーベル物理学賞の順番からすると、今年は物性である、今年は素粒子であるといったふうに予測すると非常に効率的に取材しやすいわけです。しかし今年のマスコミの予測は外れました。とは言え、先生が今おっしゃったように、広い視野で

見れば、今年の物理学賞の三人が全部つながっていることはわかります。本当はそこまでわかることが望ましいので、やはりマスコミにもそういう人たちが育ってほしいと思います。

## ネット社会の今こそ、自分の考えを正しく持つこと

**黒川**　マスコミの報道は個人のSNSなどより信頼性が高いと思われています。特に名の知れた大手からの報道は鵜呑みにされやすいので、非常に危険です。同時に恐ろしいことは、今はネット社会で、思いつきの情報があまり考えずにすぐ載せられてしまいます。そして、老若男女問わず、多くはテレビに登場する有名人の意見に引きずられる傾向があります。これまで以上にますます危険だと思いますので、マスコミの報道をしっかり自分の考えと照らし合わせ、あの報道はおかしいのではないかと判断できる人、自分の考えを正しく持ち、偉い人が言ったことに対してもそれは違うと思うと意見が言える人が育ってほしいと思っています。

**津田**　すみません。ちょっと短かめにコメントします。

そうはおっしゃいますが、まずマスコミの方には、今回大いに反省してもらわないと困ると思っているのですね。それはなぜかというと、スウェーデン王立科学アカデミーのノーベル賞委員会は、ホームページにすぐ三種類の説明を出しているのです。一つは、プレスリリースです。これはまさに全世界の新聞各社あるいはテレビ局などに送るものかと思います。次に、ポピュラーサイエンティフィックな記事があります。これは割と素人でも読めるものです。そして、Scientific Background という専門家を対象とするものがあり、これには受賞理由が書いてあります。この三つすべてに、今年は複雑物理系に与えると書いてあるわけです。なのになぜ気象・気候学という報道になるのかが私にはわかりません。それは読んでいないということ

とです。

韓国の新聞の日本語訳が手に入ったので読んでみますと、そこにはちゃんと書いてありました。いくら速報性が大事とはいえ、やはり多少の時間はあるのですから、その程度のことは取材するなり、あるいは、そのときは難しかったとしても、一週間や一カ月たってから、要するにサイエンスとしてはこういうことだったのですよと、そういうことはできるわけですよね。

**黒川**　一週間や一カ月もあればしっかり調べて報道することはできます。ただ、速報に関しては、リリースを見て一時間で原稿をあげなければいけないので、私はもう今は関係ないのですが、その時点ではちょっと許してやっていただきたいと思います。ただ、先生がおっしゃったように、後日にでも、なぜその三人がつながっているのかということは、しっかり報道してもらいたいものですね。辻先生、どうですか。

**辻**　メディアとして反省すべきところはあると思います。どうしても日本人の業績に集中して書いてしまうというのも、外国人が受賞した場合とあまりに差があり過ぎて、いかがなものかと思っております。

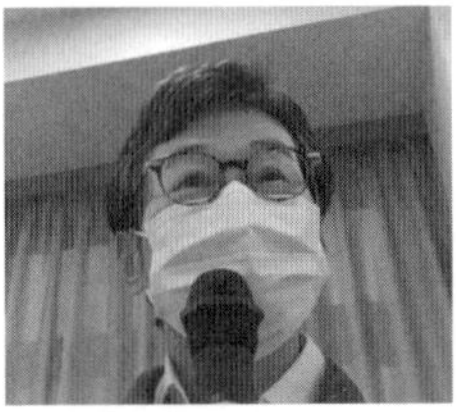

## 信頼できるメディアが役割を持つ

**辻**　一方で、先ほど石井先生がおっしゃった全くわからない人に専門家から科学の内容を伝えるにはどうしたらいいのかということとも関係するのですが、新聞は常に、非常に複雑な難しいことを、限られた紙面で読者に伝えなければいけないわけです。そういった場合、どこに集中して書けば少しでも多くわかってもらえるのかということをまず考えます。私たちが取材している中で、専門家の方からは、一から百まできちっと整っていないと、細部まで書いてもらわないとだめだとよく言われます。それは専門家にとっては当然のことなのですが、私たちからすれば、一から百まで細かく書いても、読んだ人がわからなかったら何も意味がないのです。そういう場合は十に絞るわけですね。

ではどこに絞るのか。これはどうやって伝えるかという話とも関係するのですが、何かを伝えたいとき、読む側はどういう人かを想像することが大事です。例えば、大きな木があって、幹が分かれていて、枝がある。研究者の新しい発表は、その先の一枚の葉っぱかもしれない。研究者がその葉っぱの話だけをしても、一般の人には全くわかりません。枝の部分まである程度共有している相手ならば、枝の話から始めてもいいでしょう。しかし、多くの場合、やはり木の部分、何の話をしているのかというところから言わないと、なかなか伝わりません。さらに言えば、その木がどこに立っているのかという理解すらない相手だとすると、こういうところに立っている木についての、何となくこんな話ですよというぐらいにしておかないと、伝えたい研究の意味も何もわからないのです。サイエンスのある分野の話にとどまらず、ひょっとすると、もっと広いコンセプトから語らないとわかってもらえない場合もあるのかもしれません。

つまり、読む側の人を意識してそれに合わせないと、伝えたいことが伝わりません。ノーベル賞報道には、私もいろいろ不満はあります。しかし、その当日に小さな面積で最大限のことを伝えるためには、捨てざるを得ないものもあります。とはいえ、おっしゃるように、科学面なら社会面と違っても

う少し読者も絞れてきますので、今日はここだけを伝えなければいけないけれども、最終的には後日、科学面でもう少し中身をわかってもらえるように報じるといったことは大事かと思います。長くなりましてすみません。

**津田**　しかし、そうなっていなかったのです。科学面でも取り上げていませんでした。やはりちゃんと内容を書いてもらいたい。そこで大事だと思うのは、禹先生がおっしゃった科学哲学など、要するに人類が今まで何を大事に思って自分たちのものにしてきたのかという点です。そういう歴史をわかった上で説明をすると随分違うと思います。

## 科学史や科学哲学を教えながら、現代科学技術も教えていくこと

**津田**　またノーベル賞の話になって申し訳ないのですが、脳の中の海馬あるいは海馬の近くの内嗅野というところ（これらは短期記憶を長期記憶に移行するために必須の場所）で場所細胞（place cell）というものを見つけた人が数年前にノーベル賞を取りました。その前段階の格子細胞（grid cell）を見つけた人とともに三人が受賞したのですが、これに対して批判があったのですね。どういう批判かというと、単にある場所に行ったら発火するニューロンを見つけただけのことで、視覚のニューロン、聴覚のニューロンなど他にもいろいろあるのだから、そんな業績になぜわざわざノーベル賞を与えるのかという批判でした。でも、これはコンテクストが全く違うと思うのです。

例えばカントは、時間と空間は人間に備わっているアプリオリな概念と考えました。では、本当にそういうものがアプリオリにあるのか。もしあるとしたら、脳の中でそれを表現する細胞はあるのか。そういう

コンテクストで場所細胞や時間細胞といったものを定義し研究していくなら、単に脳科学だけでなく、人類の今までのいろいろな知恵の蓄積の中でそれに着目していることになるわけです。そういう見方から、場所細胞を発見したことには非常に意味があったのではないかと私は思います。そういう視点で見るのか、単なる脳科学の一つの発見として見るのかで、やはりかなり違います。ですから、むしろ講義の中でも、禹先生がおっしゃったように、哲学、歴史、科学史といったものをもう少し教えながら現代的な科学技術を教えていく。それがまさにリベラルアーツなのではないかという気がしています。

**禹**　黒川先生、辻先生、津田先生の今のご議論は、科学の社会性をめぐるお話と私は理解しました。科学哲学の分野で社会とのコミュニケーションについてはまだ開発途上のようですから、今後の議論になるのかと思います。

津田先生のお話の中でノーベル賞より私が興味を持ったのは、いかに矛盾を見つけ、そこから矛盾のない方向へ成長して行くのかという点です。私は学生にとってそれが非常に重要なのではないかと思っております。物事を細分化し過ぎて狭いところで考え、ヒエラルキーの上のほうを適用すると、どんどん矛盾が出てきます。それに対応する方向が、おのずとリベラルアーツにつながっていくのだろうと私は思います。

## リベラルアーツ教育、さらにその上に自分の専門を

**禹**　ですから、リベラルアーツで全体的な基礎教養を教え、その上に自分の専門を何か一つという、これが最終的な終着点ではないかと思うのですが、辻先生、どうでしょうか。今の時代、全体がなかなか把握で

きていないという傾向がすごくあると私は思うのですが。

**辻**　全体が見えていないというのは、本当におっしゃるとおりだと思います。ただ、全体をやってから専門というよりも、やはり常に全体の中で自分の位置を確認しながら、専門とともに両方進めていくことが大事なのではないか。外から見たら、自分の専門をまた別の目で見ることができるかもしれないし、自分の専門から見たら、全体がまた違う見方になるかもしれないので、その相互作用が大事なのではないかと思います。全体がなかなか見えていないというのはおっしゃるとおりで、そこはすごく大事にしていかなければいけないところだと思います。

**大場**　全くそのとおりだと思うのですが、ではどのようにして学生がその部分に気づくよう導けるかというのが大事なところであり、難しいところかと。

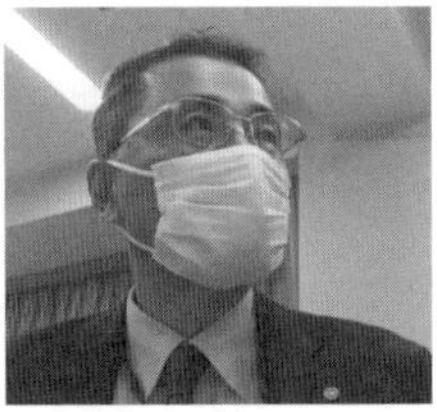

**磯谷**　禹先生、津田先生、辻先生、黒川先生の今の議論はおもしろかったのですが、リベラルアーツについて議論をすると、今皆さんがおっしゃったように、大抵は全体を見渡すことが大事という側面に収斂すると思うのですね。しかし、大場先生が今少し言いかけられましたが、具体的に中部大学としてどのようにそれを実現していくのか。実はそこのところまで踏み込んでアイデアを出さなければいけないわけです。

## 全体を見る力、それをいかにして教育に落とし込むか

**磯谷**　そこで、私からは逆に手法の提案なのですが、例えば、創造的リベラルアーツセンターなどどこかが

音頭を取って、具体的に専門教育レベルで、さっき禹先生が提案されたように科学にその歴史や哲学も組み合わせ、カリキュラムなりフィールドワークなりに落とし込んでいくとか、時には分野を越えてディスカッションできるような場を設定するとか。私が勉強不足なだけで、もう既に実施されていたらすみません。リベラルアーツセンターではそれをやろうとしておられ、手始めに石井先生がすばらしい授業をされているのも存じ上げているのですが、もう少し全学的体系的に、例えば学部レベルでは三、四年生で、また大学院レベルでも、研究科・学部・学科・専攻の垣根を乗り越えた試みが出てくるといいのではないかと思っております。

**大場**　磯谷先生、私が言いたかったことを補足してくださってありがとうございます。

今の点に関しまして、既にパイロット授業などをされている石井先生や松本先生、あるいは、普段難しい物理学を学生に教えている小西先生あたりから何かご意見はいかがでしょうか。

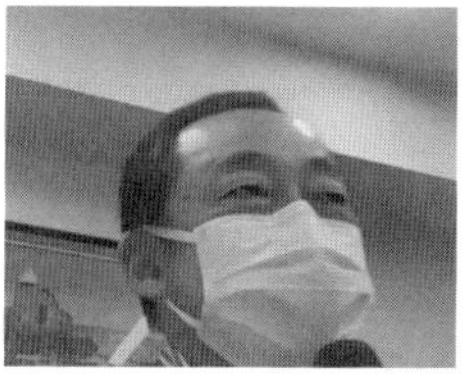

**松本**　私は「生物と環境」の後半だけを担当しているのですが、教養科目なので、文系も理系も両方の学生たちが入ってきています。その中で、先ほどから何回も話に出ているのですが、ネットなど外からの情報を学生みずからが考えて理解し、それに賛同するのかしないのか評価できる力を一番身につけてもらいたいと思っています。

昨今SNSなどでは秒速で反応することに重きを置いているような具合ですけれども、それでは自分で判断する時間がないといいますか、やはりある程度時間を持たないといけないのだろうと思います。

## 自分の考えを披露して、みんなの意見も聞くような討論型授業

**松本**　とはいえ、自分で考える時間を持ってくださいと言うだけでは、なかなか学生たちにそういう力はつかないでしょうから、どうしていくのか、これからちょっと考えたいと思っているところです。例えば、リベラルアーツの講義の中で、自分の考えをみんなに披露し、みんなの意見も聞きながら考えて判断していくというような討論型の授業を実際に受ける経験をすれば、それ以降はそれを自分自身でも実践していけるのではないかなどと思っています。

**大場**　ありがとうございます。私、大学へはスクールバスに乗ってくるのですが、学生はみんな大体スマホを見ています。SNSの返信をしているか、漫画を見ているか、あるいはゲームをしているかという感じです。私の言いたいことは、簡単にいうと落ち着いて本でも読んではどうかということなのですが、そうは言っても学生はなかなか読みません。では、現代のそういう学生たちに対して、授業の中でどういう導き方をしていくかということが大事になってくるのかと思います。

**津田**　私、チャンスがあれば授業もしたいと思っているものの、なかなかチャンスがなくて今はしておりませんのであまり実感がなく、リアリティのある表現ができるかどうかわかりませんが、例えばアメリカの大学ですと、『実感する化学』という初年級の化学の教科書があるのですね。これはアメリカ化学会が出しているかなりオーソライズされたものですが、常に改定し、非常にアップデートされています。福島第一原発の事故があった次の年に、もう既にそれが教科書に載っていたのは印象的でした。

要するに、化学という科目なのですが、化学を専門にする人も常にそういうことを考えないといけないというスタンスです。地球上で起こるいろいろな事件について、こういうことがあった事実から考えよと。恐らく化学でなくとも、物理学でも数学でもそうだと思うのですが、それぞれの専門家になっていく人たちに、自分たちの学問が問題解決にどう関与していけるのかを考えさせる。答えの出ていない問題ですから、誰も答えは出せないのです。でも、今の化学の知識で福島の問題をどう解決していくのか、例えば除染の問題にしても、そういうアイデアを出させる討論をしています。

## 今起こっているリアルをディスカッションする

**津田**　討論を主体にした授業というのは私も非常にいいと思うのですが、ディスカッションを通して考えさせるためには、やはり現実に起きたいろいろなことを題材にするのが、学生さんにとって一番リアリティがあるのではないでしょうか。

過去の難しいことをベースにしてもいいのですが、やはり今現在起きていること、例えば今年だったら、COP26で何が話し合われたのかといったことでもいいでしょう。$CO_2$が倍になると気温が二～三度上がるという話をどう理解し、さらにどう制御していったらいいのかを話し合うわけです。それは多分どの科目でもできると思うので、具体的にはそれをやっていくことが大事なのではないかと思います。

**大場**　ありがとうございます。確かにそのとおりですね。

もう一つ気をつけなければならないのは、アメリカなどでも一時期いたかと思うのですが、やたら討論上手というか、何か言うとスパッと正解を返してくる若者がいます。よく頭が回ってすごいなと最初は思うのですが、実は討論上手なだけだったりするわけです。リベラルアーツが目指すのはそこではないというところにも難しさがあって、ではどうするのかを考えなければいけないと思っております。たくさんの学生に対してどう授業をしていくのか、私もいつも頭を悩ませておりますが、何かご意見はありますか。

## 教員それぞれが意識的に授業モデルを示してゆくこと

**井上**　科学コミュニケーションを日本中に広げる取り組みについて、日本科学未来館で毛利さんと話したときに、自分だけで抱え込んでできることは限られて広がらない、私たちの目指す姿は「触媒」ではないか、という議論がありました。自分たちが取り組むのは「モデルケース開発」と「普及システム構築」で、触媒として反応を促進していくように取り組みました。リベラルアーツセンターにも共通する役割を感じます。モデル開発や、モデルを集めて皆さんにお示しすることで、普及展開を推進する拠点としての役割を幅広い対象に果たせるようになるのかもしれません。

そのモデル開発では「文理融合」が一つキーワードになるように思います。例えば、中部大学天文台の運営委員をしているのですが、文系の日本語日本文化学科の授業でも天文台を使いたいという要望がありました。天文や地震の記録は、理化学辞典にも昔の現象は日本の古文からの引用があります。文系の先生が理系の天体観測に興味を示してくださり、文系学生の反応もよかったようです。理系から文系へのアプローチとして、天文台の運営委員に文系の先生にもお願いしており、そういうことが実現しやすくなっています。

一方、文系の日本伝統文化推進プロジェクトには理系の教員がメンバーに含まれています。まもなく不言実行館五階に和室のある「日本伝統文化プロジェクト室」もできます。伝統文化の活動としてお能や日本舞踊などのイベントがありますが、「からくり人形」の技師さんの講演会にはロボット理工学科の学生がたくさん参加していました。

中部大学には、そういう文理融合の種がいろいろあり、リベラルアーツの見方によっていろいろ反応させていける可能性を持った大学だなと思っています。センターに何をしてくれるのか求めるだけでなく、みんな自分と関係しているという意識で多くの教員や授業に関わりを持っていけるような、そんな展開に期待したいと思います。

**大場**　Ｚｏｏｍで黒田先生からご発言です。黒田先生、よろしくお願いします。

**黒田**　横から入りましてすみません。先ほど石井先生が紹介くださいましたが、仲間の先生方のご協力を得て、十七年前に東大に全学の大学院副専攻、「科学技術インタープリター養成プログラム」を作りました。一九九六年に書いた『社会の中の科学・科学にとっての社会』という拙稿に基づいており、国の振興調整費に採択されてやっとこれを実現することができました。東大以外に、北大と早稲田大が採択されました。一般には、科学者は最先端の科学を一般の人に伝えるのが下手だから伝え方のうまい人を養成するととられがちなのですが、それだけではありません。それに加え、科学に親しんでいない人たちにも科学とは何かを理解してもらい、専門領域にしか目のいかない科学者に社会における問題点を指摘したり進むべき方向を示唆したりしてもらうことも重要です。

## 科学と社会、双方向の橋渡しをするインタープリターの重要性

**黒田**　つまり、双方向の、科学と社会の橋渡し役養成を主眼としています。スキルだけの話ではありません。もっと文化、科学、歴史を深く思索する人間になってほしいという思いです。受講生で一番多いのは理系の学生ですが、法学専攻の学生も、哲学専攻の学生も履修していました。文系・理系両方の大学院生を対象にずっとやってきております。

自分の研究テーマが決まった後の大学院の秋学期に開講（修士・博士課程何年でも受講開始可能、最低一年半の履修が必要）、自分の本専攻の研究テーマや、興味を持っている本専攻とは無関係のテーマを、分野の異なる十名程度の仲間の受講生（東大全学の大学院生から選抜）に説明し、ディスカッションします。

松本先生がおっしゃったように、今はみんなＳＮＳに瞬時に反応し、あまり考えていません。自分のしている研究に将来どんな社会的意義があるのかといったことも考えてほしい。

## 全然違う分野の人に話すのが重要

**黒田**　それは一人ではなかなかできないことですし、自分の研究室ですと、一言しゃべれば阿吽の呼吸でみんな意味がわかってしまいます。ですから全然違う分野の人に話すことが重要で、そうすれば、それにどんな意味があるのか、自分も深く考え直すことができるわけです。ということで、今でも土曜日に三時間ずつの講義を持っているのですが、ディスカッション形式でやっています。お互いに突っ込んで議論することで、自分のしている研究の立ち位置がわかるし、自分も相手にいろいろ意見を言うことで、考えが非常に深

まると思います。

## 学生には、ちょっと立ち止まって考える時間が必要です

**黒田**　今の学生には、ちょっと立ち止まって考える時間が必要です。でも、一人では考えられないので、少人数でお互いに意見を交換できるチャンスをつくって差し上げたらいいのではないかと思い、ちょっと横から勝手なことを申し上げました。私は研究会のメンバーでも何でもないのですが。

十七年間、この、いわゆるリベラルアーツ関係のことをしてまいりましたが、それ以外にも、日本産学フォーラムのリベラルアーツ研究会というものにも入っておりました。企業の中堅の方にもリベラルアーツをわかってほしいという趣旨で、結構高いお金を取って企業研修会が開かれました。全部で十数回開催されたのですが、あらかじめ本が指定され、その本を読んで本の著者である講演者に質問を出しておくのです。そして、講演者が一時間程度話した後で、新たに出てきた質問も含めて講演者にぶつけます。また、六人ぐらいのグループに分かれ、そこでも意見を交換します。会社勤務の人もいれば、大学関係、文科省の人も出ていらっしゃいました。そういう中で考えを深めるという企画で、ＪＳＴ研究開発戦略センター上席フェロー（元三菱商事執行役員）の藤山知彦先生が中心になって企画され、吉川弘之先生などにも関わっていただきました。

私の本当に狭い経験なのですけれども、もしお役に立てばと思ってチャットにあげさせていただきました。

**禹**　最後に短く私の経験をシェアしたいと思います。黒田先生が今おっしゃった、学生は何かきっかけを

与えないと考えられないというのは、私もすごく経験しています。

今回トーマス・クーンのパラダイム概念を教えたときの感想を見ましても、何人かの学生が、今までは実験をしたデータがおかしいといつも自分の間違いを考えていたが、パラダイム概念を聞いてから、もしかしたら先生のパラダイムが間違っている可能性もあると思ったというような感想を書いてくれています。パラダイム概念を教えると、やはり学生はわかってくるのですね。もう一つ、利根川進さんが人間を機械と定義する番組の動画を見せましたら、人間が機械だったら倫理的にどうなるのですかと、ある学生が言いました。機械は自分で判断できず、設計どおりに動きます。それなら他の人との関係で犯罪を起こしてもいいことになって、倫理的な問題が出てくるのではないかというわけです。

## きっかけを与えれば、学生は考え始めます

**禹**　このように、きっかけを与えると学生は考え始めます。自分の専門を越え、人間の定義から今度は倫理論、認識論へと、どんどん広がっていくのです。私たちがしなければいけないのは、きっかけをどうつくるか。今私は石井先生の「科学と宗教」という授業に行っていますが、最初に先生が学生に課題を与えて考えさせておられて、そういう方法もとてもいいと思います。私の経験を少し申しました。

## ◇閉会の言葉……………………石井洋二郎

**大場**　ありがとうございます。用意された時間が短くなってきました。大分ポイントが絞られてきた感じで、ここからおもしろくなってきそうなところまで来たのですが、だいたい予定していた時間がまいりました。では最後に、石井センター長より、閉会のお言葉をいただきたいと思います。

**石井**　長時間にわたって、どうもありがとうございました。貴重なご意見、本当に参考になりました。いくつか思ったことを申し上げます。

### 教養と専門は両方並行してやるべき

一つは、教養と専門の関係です。今までは、大学に入って一、二年で教養教育を受け、三、四年で専門化するというのが標準的なパターンでした。しかし本当は、これは私もあちこちで言ったり書いたりしていることですが、両方を並行してやるべきなのではないか。もっと言えば、ほとんど順番をひっくり返してもいいとさえ私は思っているのですね。いっそ思い切って最初に専門的な勉強を始めてしまう。しかし、専門を深めれば深めるほどそれだけではだめだということに学生は気がついてくるはずで、自分がやっていることは社会の中でどういう意味をもっているのか、他分野の人がやっていることとどう関係してくるのか、そうした視点をもたなければいけないというモチヴェーションが高まってくるはずです。そういう段階でこそ、リベラルアーツをやるべきではないか。二〇二四年度から正式に開講する「リベラルアーツ科目」の対象が三、四年になっているのには、そういう意味もあります。もっとも、四年目は卒業研究・卒業論文やら就職活動やらいろいろあるでしょうから、少なくとも三年までは教養も専門も全部ひっくるめて一緒にやったらどうかと思っています。

## 従来型の講義も大切、だから討論型授業とのメリハリをつけるカリキュラムを

もう一つは、先ほどもお話ししたことですが、思い切って授業にめり張りをつけてはどうか。もちろん従来型の講義科目も大事だと私は思っておりますが、ただ先生の話を聞いているだけでいい授業であれば、何百人でもオンラインでやってしまえばいいのではないか。その代わり、キャンパスに来た学生たちは、必ず一日一回はどこかで他学部の学生と議論できるようにする。討論型の授業はどうしても人数が限られるので、そんなにたくさんはできませんけれども、それくらい思い切ったカリキュラムにしたほうが絶対今後の中部大学のためになるのではないかと、私は思います。めり張りをつけて、ぜいたくなぐらいの労力をそこに注ぐべきではないかということですね。

## 学生に説明力をつけさせたい

それから三つめは、具体的に授業でどういう力をつけさせたいのかということです。いろいろあるので

すが、やはり一つは説明力ですね。自分がやっていることをそうでない人にわからせる日本語がちゃんと話せて書けること、これはとても大事です。ノーベル賞報道の話題が先ほど随分出ましたが、多分この中で唯一の純粋文系人間である私としては、正直、今回の眞鍋先生のお仕事は気象学関連であると言っていただいた方がわかるのです。複雑物理系という観点からのご説明を津田先生からいただきましたが、そしてたぶんその通りなのだろうと思いますが、正直言って専門的な用語を使って説明していただいても、私にはさっぱりわかりません。まさに「言葉が通じない」わけで、本当にわからないのです。一般の新聞読者もそうなのだろうと思います。そういう人が相手の場合、まずはとにかく「気象学」と言ったほうがわかりやすいというのであれば、それはそう言ってしまったほうがいい側面もあるのではないでしょうか。これは別に一般読者を馬鹿にするとか、下に見るとか、そういったことではなくて、「誰に向けて語るかによって言葉を変える」という問題だと思うのですね。もちろんその後で、でも専門的に見れば本当はこういうことなんだよ、という説明はあっていいし、あったほうがいいとは思いますけれども。学生にもぜひ、そういう説明力をつけてほしいと思います。

## 問いを考える質問力も身につけてもらいたい

それと学生に身につけてほしいもう一つの能力は、質問力です。疑問を持つことが大事であるというアインシュタインの言葉の話を最初にちょっとしましたが、人の話を聞いたり本を読んだりして質問をする力ですね。学生は常に問いに答える立場に置かれてきたために、自分のほうから問いを発することには慣れていないし、いざ質問しろと言われても何を聞けばいいのかもわからないことが多いようです。やはりこれをぜひ身につけてもらいたい。要するに、問いをつくる力、問いを考える力ですね。

授業をしていてちょっとびっくりしたのですが、質問をどんどんするよう促したら、「他の授業では質問をしたら先生に怒られた」と言う学生がいたのです。「そんなばかなことはない。質問に答えるのが先生の仕事なんじゃないのか」と言うと、「でも、わからないから質問をしてみたら、そんなばかなことを聞くんじゃないと言われた」と。私、そういう先生が中部大学にいるとは信じたくないのですが、もしそういう授業をやっている方がおられたら、これはぜひあらためていただきたいと思います。どんなことでもいいから、おかしいと思ったら口に出してみる、わからないと思ったら質問してみる。そこから「対話」が始まるのであって、教師が自分の考えを一方的に押しつけるようなことがあってはならない。それができないようなら、やはり教育のほうがおかしいのであって、それは変えるべきだろうと思いました。

## スマホで調べるのはよいこと、だが情報を鵜呑みにしてはいけないというリテラシーは必要

あと、ＳＮＳの問題は今非常に深刻かと思うのですが、私自身は、学生がすぐスマホでキーワード検索して調べたりするのはいいことだと思っております。これはほとんど持ち運びできる百科事典みたいなもので、どこにいても何でもすぐスマホで調べられる。ただ、出てきた情報を全部本当だと信じてはいけない、その情報を鵜呑みにしてはいけないということは、やはりリテラシーとして教えなければいけません。スマホは使い方次第で非常に役に立ちますが、役に立つからこそ、そこでやっていいことと悪いことのリテラシーも、きちんと教えなければいけないと思います。

## ディベートではなくディスカッション

最後に、あちこち話が飛んで申し訳ないのですが、大場先生から「討論上手」な人間という話がありました。確かに「ディベート」というと、何か口先でうまいことを言って相手を言い負かすというイメージがありますが、ディスカッションはそうではありません。こちらは議論に「勝つ」ことが目的なのではなく、議論すること、対話することそれ自体が目的だからです。その意味で、ディベートとディスカッションは根本的に違います。リベラルアーツ教育が何よりも大事にするのは、そうした意味でのディスカッションです。とにかくフラットに意見を言い合って、双方が対話する。この大学ではそうした意味でのディスカッションの授業を、もっと進めていくべきと思いました。

だいたい以上のような感想を持ちましたが、いずれにしても先生方のご議論は本当におもしろい話ばかりで、大変参考になり、刺激を受けました。どうもありがとうございました。

**大場**　どうもありがとうございました。では、ちょうど時間になりました。お集まりいただいた皆さま、どうもありがとうございました。またご意見などありましたら、ぜひとも創造的リベラルアーツセンターのほうにお寄せいただければと思います。今日はお忙しい中、二時間お付き合いくださいまして、まことにありがとうございました。

**石井**　皆さん、ありがとうございました。

## 総括に代えて

中部大学の「創造的リベラルアーツセンター」(Creative Liberal Arts Center、略称CLACE)は、学生たちを「知識・経験・思考・視野」の限界から解放し、総合的な人間力を培うことを主たるミッションとして、二〇二一年四月一日に設置されました。

### 若い学生に必要なのは「人間力」

これからの社会を担っていく若い学生たちに求められているのは、現代において必要とされる基本的な知識や専門的な能力を身につけた上で、その知識や能力を活用して的確な判断を下し、具体的な行動を通して社会の課題解決に貢献することのできる総合的な「人間力」を身につけることです。そのためには、文系・理系を問わず幅広い知識を獲得し、多様な経験を通して世界の広さを実感し、他人の言葉を借りずに自分の頭で思考を重ね、自分と異なる分野にも視野を拡げていかなければなりません。これが本センターの目指す「知識・経験・思考・視野」の限界からの解放ということです。

### 創造的リベラルアーツセンターの目指すもの

こうした理念に基づいて、本センターでは学部を横断する形で少人数・討論重視型の授業を提供し、二十一世紀の新しい「創造的リベラルアーツ教育」を展開していく準備を進めています。現在は、二〇二四年度から学部三、四年生対象の全学共通科目として「リベラルアーツ教育科目」を正式に開講することを前提に、既設科目の枠を借りていくつかの「パイロット授業」を実施し、教員たちがたがいに参観しながら、あるべき教育の中身や方法を検討・模索しているところです。

中部大学は今や理系三学部（二〇二三年度以降は理工学部を加えて四学部）、文系四学部を擁する文字通りの総合大学に成長しましたが、もともと工学校から出発したという経緯もあって、数としてはいわゆる「理系」の学生が三分の二近くを占めています。リベラルアーツというのはもともと「文系・理系」という区分を越えた概念ですが、本学の現状に鑑みれば、「理系学生」に対してどのようなリベラルアーツ教育をおこなえばいいのか、という課題がきわめて重要な意味をもつことは否定できないでしょう。

そうした問題意識から本センターのＦＤ活動の一環として開催されたのが、本書のもとになった「理系学生のためのリベラルアーツ」というテーマの学内討論会です。普段はそれぞれの立場で専門教育および研究に携わっている複数の分野の教員たちが集まって、本学のリベラルアーツ教育がどうあるべきかを率直に話し合う機会を作りたいというのがその趣旨でしたが、お読みいただければおわかりの通り、当日は参加者のあいだで非常に有益かつ活発な意見交換がおこなわれ、たいへん有意義な討論会になったと思います。

参加者の皆さんがどのような学問的背景をもち、どのような社会的経歴をたどり、現在どのような関心をお持ちであるかは、それぞれの発言内容をご覧いただければわかると思いますので、ここで繰り返すことはいたしません。以下では個人的に印象に残った言葉をいくつか拾い上げながら、簡単なコメントを加えることで全体の総括に代えたいと思います（なお以下の記述では、誰もがフラットな立場で話し合うというリベラルアーツ精神にのっとって、敬称はすべて「さん」で統一させていただきます）。

## 自己相対化の機会を学生たちに提供すること

司会の大場裕一さんは最初の導入発言で、しばしば「役に立たない」と言われるご自分の専門分野（発光生物の研究）を振り返るための契機としてリベラルアーツを位置づけられました。「役に立たない」点では人後に落ちない（？）フランス文学研究を専門とする私としては、思わず頷かずにはいられないところですが、そもそも学問の「有用性」とは何であるのかという問いはリベラルアーツを考える上でも避けては通れないものであり、これからも考え続けていかなければならない課題であることを確認した次第です。

辻篤子さんは大場さんの後を受けて、リベラルアーツの意義を「自分の立ち位置、居場所を知ること」によって「同時に自分を深めること」と述べられました。社会がますます複雑化する中で起こるさまざまな問題に対応するには、自分がこの社会のどこに位置しているのか、自分が何者であるかを知ることが必要であるという認識を、私も深く共有します。言葉を換えていえば、リベラルアーツ教育の主要な意義の一つは「自己相対化」の機会を学生たちに提供することである、ということになるでしょう。

物理学をご専門とする小西哲郎さんは、「自然は分野の垣根を知らない」という言葉を紹介されました。まさにその通りで、専門分野の「垣根」というのは対象に内在するものではなく、あくまでも人間が対象を把握するために設けた恣意的な境界線にすぎません。それは自然科学だけでなく、人文学や社会科学についてもちろん同様です。私たちはともすると、既存の学問分類を自明の所与として無条件に受け入れてしまいがちですが、そうした無自覚さは戒めなければならないとあらためて思いました。

黒川卓さんは辻さんと同じく新聞社で活動してこられた経験をお持ちですが、それだけに、同じ日本語でも分野によってほとんど言葉が通じないことがあるというご発言には深い実感がこもっていると感じました。特に科学報道において、専門的な内容を一般読者にわかるように伝えるのはどのような言葉をもってすればいいのかという問題は、討論でもとりあげられたノーベル賞報道をめぐる議論とも関連して、まさに「理系学生のためのリベラルアーツ」に直結する論点でしょう。

## なぜリベラルアーツが必要なのかをきちんと言語化しないといけない

井上徳之さんは毛利衛さんの「若い人は必要なものに敏感」という言葉を引かれて、リベラルアーツの必要性ということに言及されました。リベラルアーツとはすぐに役に立つ知識を身につけることではない、むしろすぐに必要ではないことを学ぶことである、というのが普通の共通了解ですが、学生たちは自分が学んでいることの意義を実感しないと本気で勉強しないというのは事実ですから、私たちも「なぜリベラルアーツが必要なのか」をきちんと言語化して学生たちを納得させなければならないと思いました。

磯谷桂介さんは今回の参加者の中では私と共に数少ない「文系」の方ですが、リベラルアーツの意義が「多様なコンセプトに触れて発想を豊かにする」こと、「知的好奇心を育て、想像力を豊かにする」ことにあると述べられました。この「想像力」というキーワードは、いくら強調してもし過ぎることはないと思います。自分とはまったく異なる背景をもち、異なる関心をもつ人たちの考え方や生き方に思いを致し、別のコンセプトに触れることで自分を拡大することこそ、リベラルアーツの本旨だからです。

津田一郎さんは、本センターと同時に発足した「ＡＩ数理・データサイエンスセンター」の長ですが、ご自分の学者としての経歴形成にあたって、異分野の専門家との対話がいかに有意義であったかを語られました。また、「リベラル」という言葉に「気前のいい」という意味を読み込む視点は新鮮で、大いに啓発されました。教育の場で「限界からの解放」を具体的に考える上では気前のよさだけでは不十分で、「アーツ」の部分が重要になるというご指摘も、たいへん示唆的だと思います。

## 学部縦割り構造を打ち破ることが、センターの使命

松本吉博さんはジャレド・ダイアモンドの『銃・病原菌・鉄』に刺激を受けて、自然科学が人間の歴史に

大きく関わりうることを意識されるようになった経験を話されました。この本には私自身も感銘を受けた記憶があり、「理系・文系」といった二分法がいかに無意味なものであるかを認識するきっかけになった覚えがあります。教育の現場にどうしてもつきまとう「学部縦割り」構造に伴う弊害をいかに打ち破っていくかが、私たちのセンターにゆだねられた使命であることを再認識した次第です。

禹済泰さんは理系の研究者であると同時に早くから哲学に深い関心を持たれ、授業でもそうした内容を取り入れておられることを紹介されました。新型コロナウイルスにしても気候変動にしても、今やほとんどの課題は特定の専門分野だけで対応できるものではないことは明らかです。その意味では分野にかかわらず、科学を裏打ちする哲学や倫理へと教育の射程を伸ばすことがますます求められるでしょう。それを本学で具体的にどのような形で実践していけるかが、今後の鍵になると思います。

水上健一さんは、スポーツを通して教育に携わっておられるというユニークな立場から、リベラルアーツ教育に「身体」の問題をいかに取り込んでいけるかという展望を話されました。理念を頭だけで練り上げていくと、私たちはとかく身体的側面をおろそかにしてしまいがちですが、もちろん教育の場は教室だけではありません。身体運動を通して「経験」の限界や「視野」の限界から学生を解放する試みは、本学のリベラルアーツ教育の可能性を大きく広げてくれることでしょう。

以上、きわめておおざっぱに参加者の皆さんのご発言を概観してきましたが、オンラインで討論にご参加いただいた黒田玲子さんからは、東京大学における「科学技術インタープリター」についての貴重な紹介文をご寄稿いただきました。こうした試みを中部大学の学部教育に取り入れるにはそれなりのやり方を工夫しなければならないと思いますが、科学者と市民をつなぐコミュニケーションの在り方について考えることはリベラルアーツ教育にとって不可欠の課題であり、私も大変興味深く読ませていただいたことを、深い感謝の念と共に付記させていただきます。

なお、創造的リベラルアーツセンターは二〇一九年十二月に「21世紀のリベラルアーツ」というテーマで設立準備シンポジウムを開催し（パネリストは藤垣裕子、國分功一郎、隠岐さや香の三氏）、二〇二一年五月には「リベラルアーツと外国語」というテーマで設立記念シンポジウムをおこないました（パネリストは鳥飼玖美子、小倉紀蔵、ロバート・キャンベルの三氏）。その成果はいずれも同名の書籍として水声社から出版されていますので、こちらもあわせてご覧いただければ幸いです。

また、二〇二二年七月二日にはセンター発足後第二回目になるシンポジウム、「リベラルアーツと自然科学」（パネリストは大栗博司、長谷川眞理子、下條信輔の三氏、コメンテーターとして佐々木閑氏も参加）を開催しましたが、これも遠からず書籍化する予定です。まさに「理系学生のためのリベラルアーツ」と呼応するテーマですので、こちらもぜひご高覧ください。

二〇二二年八月

創造的リベラルアーツセンター長

石井洋二郎

〈特別寄稿〉

# 理系学生のためのリベラルアーツ教育についての私見

先端研究センター　黒田玲子

皆様のお話を伺い、付け加えることもないのかもしれないと思いながらも、スペースに余裕があるというお誘いに、中部大学での取り組みの参考にしていただけましたらと思い、寄稿することにいたしました。

## 社会の中の科学、科学にとっての社会

これは『日本人の科学』（河合隼雄・佐藤文隆編、岩波書店）の第13章、わたくしの拙文のタイトルで、一九九六年に出版されました。社会と科学に関するもう一つの重要な視点である「社会にとっての科学」も付け加えたかったのですが、タイトルとしては長すぎる嫌いがあります。本文には書いてありますし、私自身が理系の科学者であることから科学者の視点に重きを置いたタイトルとしました。ところで、皆様ご存じと思いますが、ＩＣＳＵ（国際科学会議）とユネスコが一九九九年に共同で「科学と科学的知識の利用に関する世界宣言（ブダペスト宣言）」を出しました。二十一世紀の科学の在り方として、従来の「知識のための科学、進歩のための知識」、「平和のための科学」、「開発のための科学」に加えて「社会における科学と社会のための科学」が初めて登場しました。これよりも三年前にいろいろ考えあぐねてつけた拙文のタイトル、「社会の中の科学、科学にとっての社会」と図らずもよく似ていることに驚き、また、わたくしがタイトルにはあ

えて入れなかった「社会にとっての科学」の視点の方が謳われていることにも興味をいだきました。ブタペスト宣言の前文は特に素晴らしく、二十一世紀の科学の目指すべき基本的な考え方を高らかに宣言しています。もっと多くの人に知ってもらいたいです。ブダペスト宣言の十周年、二十周年記念国際シンポジウムが開催されました。まだ先のことですが、二〇二九年は三十周年記念です。時代も大きく変わってきています。世界中の多様な関係者があらためて科学の在り方を考えるきっかけとなり、ＳＤＧｓやリベラルアーツ教育もテーマの一つになることを勝手に期待しています。

岩波書店の本の分担執筆を依頼されたのは、同じ一九九六年六月三十日の朝日新聞のシリーズ「21世紀への提言」に、二十一世紀委員として、「科学技術と人間社会—複雑さ増す中、個人の判断の機会が拡大。科学と実社会の「橋渡し役」力量が必要に」を寄稿したことがきっかけです。二十一世紀へ何を提言したらよいのか、何カ月か考えた結果、これしかないと思い至ったのです。それを読んだ佐藤文隆先生に、本の出版を計画していて原稿がほぼ集まってきている段階だが、数ページでもよいから朝日新聞の提言の趣旨の文章を書いてほしいと、執筆を依頼されました。書きたいことはたくさんありましたので、喜んでお引き受けし、上記のタイトルを付けました。結局三十二ページにわたり、より具体的にインタープリターについて提言しました。これをもとに作ったのが、東大の大学院副専攻『科学技術インタープリター養成プログラム』です。

幸運にも朝日新聞の記事を読んですぐに科学技術庁の丸山審議官（当時）が大学を訪問くださり、中川科学技術庁長官（当時）の下に「科学技術と社会に関する懇談会」が設けられました。ここから科学コミュニケーション活動や失敗学が大きく展開していきました。この辺のいきさつは、読売新聞の「編集手帳」（一九九六年九月十六日）に記載されています。朝日新聞に提言を書いてから九年近くかかりましたが、多くの方のご尽力のおかげさまで、サイエンスコミュニケーションに対して二〇〇五年に振興調整費がつき、北大、早稲田大学、東大の三つのプログラムが採択されました。採択されなかった大学でも素晴らしい活動が展開され、今も続いています。

「我々は科学技術の発達の福利を大きく受けているが、同時に発達したがゆえの深刻な問題も提起されてきた。安定であるという長所が裏目に出て、プラスチックやフロンは公害問題を引き起こしている。生活は豊かになったが、エネルギー消費量は増大し、人口が急増した。人間の生存活動そのものが地球環境に負荷を与えだしているのである。……

残念なことに、科学者が出した成果はそのままでは判断材料として役立たないことが多い。専門用語ゆえに科学はとりつきにくい。良質の情報には優れた表現能力も必要とされる。研究に専念している科学者には時間的余裕がないのが普通であり、研究の社会的意味も忘れられがちである。……そこで、最先端の科学の研究成果とその社会的意味を科学に慣れ親しんでいない人に、社会的意味についてはは科学者にもあらためて説明してくれる人材、つまり科学の〝インタープリター〟が必要となる。〝インタープリター〟は専門用語の単なる直訳者ではなく、問題を指摘し進むべき方向を示唆する、科学と実生活の橋渡しをする解説・評論者である。……」

## 文系学者らと積極的交流を

「科学者は本来知的好奇心に駆られて研究を遂行する。自然の理を明らかにする優れた研究を行うことが研究者の一義的義務である。しかし、公的機関から研究費の支援を受けているからだけではなく、その成果が人間社会に直接・間接に大きな影響を与えるのだから、研究内容を社会に説明する義務もある。……人文系学者・作家などと自然科学者とが日常的に接することのできる〝場〟も有効だろう。

……両者がティータイムなどに気軽に雑談をすることで、狭くなりがちな科学者の視野も広げられ、経験がない人も科学的手法が実感できる。このような場から……』

二十六年前に朝日新聞に書いた文章を長く引用してしまいましたが、その当時の、そして現在のわたくしの熱い思いです。「公害」という言葉はなぜか近年はメディアなどで見かけなくなってしまい、懐かしい感がしますが、世の中の実態はそれほど変わっていないように思います。

## リベラルアーツ教育に通じる『科学技術インタープリター養成プログラム』

科学コミュニケーター養成とは、一般に、口下手の世間知らずの科学者が社会に科学を上手に伝えるようにすることと思われがちですが、私が目指しているのはそれだけではありません。前述で紹介した提言や本の一章に書いたように、もっと歴史や文化、生態系、人類とは何か……までも思索してもらいたいという思いです。ですから、リベラルアーツ教育に通じると思っています。プログラムの趣旨を把握してもらうために、キャッチフレーズとして、「どう伝えるかだけではなく、何を伝えるかも」、「単なるスキル教育ではない」と主張。科学者も社会的視点を学ぶ必要があり、「科学者でない人が科学者に進むべき方向を示唆してくれるなど双方向性が重要」、「文系理系の交流が重要」、「相手の気持ちを思いやるなど心や社会の仕組みへの配慮が重要」などが鍵となっています。

コミュニケーターとせず、インタープリターとしたのは、もちろん、広い意味でのコミュニケーションなのですが、他人から聞いたことをそのまま鵜呑みにして伝えるのではなく、自分で咀嚼、解釈(interpretation)してから伝える(時には反論もする)ことが大切と、強調したかったからです。

東大の大学院副専攻『科学技術インタープリター養成プログラム』は少数精鋭主義で文系、理系の東大全学の大学院生を対象に十名程度を選抜します。理系の学生が多いのですが、法学、哲学専攻の大学院生も受講してくれます。この副専攻プログラムは四月開講ではなく、十月開講にしました。それは、自分の本専攻の修士・博士論文のテーマをある程度把握した後に、副専攻に入ってもらいたいと考えたからです。メディア、ネットにある情報の受け売りではなく、第一人称で語ることのできる、つまり、自らの経験に基づいたものがあることが大事と考えたからです。履修に最低一年半かかります。修了研究（修了論文執筆）も指導教官を選んで行わなくてはならず、本専攻での研究、修士論文、博士論文の執筆もあるので、なかなか大変です。博士課程まで進学する人は最長四年半の間に単位を取ればよいことになります。修士課程だけで卒業する大学院生にとっては、本専攻の修士論文の執筆と重なり、なかなか大変ではあります。

シラバス全体は http://science-interpreter.c.u-tokyo.ac.jp/ を参照ください。藤垣裕子先生、廣野喜幸先生、佐倉統先生、大島まり先生、メディア関係者などそうそうたる講師陣がそろっています。文章を読んで要点をまとめる練習、科学の成果のわかりやすい展示の仕方の授業などもありますし、科学技術社会論という学問分野の深い講義もあります。ここでは私が十七年間、今も担当している議論を主体とする必修講義「科学技術インタープリター論Ⅰ」について紹介します。私の講義では「何を伝えるか」に、より焦点を当てています。石井先生が中部大学でパイロットとして行っておられる授業と趣旨が一致しているのではないかと、石井先生の授業を参観させていただいたことはないのですが、先生のお話から勝手に想像しております。石井先生の深い見識に基づいてデザインされた講義をいつか拝聴したいと思っています。わたくしの講義では、学生一人に九十分が割り当てられます。自分の本専攻のテーマ、あるいは本専攻とは別に自分が興味を持っているテーマについて、よく調べ、考え、受講生仲間、プログラム専任の特任教員、講義担当教員（筆者）の前で発表し、意見交換を行います。議論を主体としています。議論沸騰でいつも時間が足りない状況です。

自分の研究室ですと、自分のしている研究の科学の中での位置づけ、社会的意義などを議論する機会はあまりありません。阿吽の呼吸で専門用語の意味もわかってくれます。ですから違う分野の人に話をすることが重要で、そうすれば、思ってもみなかった返答に窮する質問が出たり、あるいは自ら専門外の視点で見てみたりすることで、自分の研究の立ち位置、意義について、あらためて深く考え直すことができます。一方で、専門の違う人のプレゼンテーションにいろいろ質問したり議論を投げかけたりすることで、考えが深まり、視野も広がっていきます。

対象が少人数過ぎるとの批判も受けましたが、小人数ですとお互い良く分かりあえ、意見を言いやすく、意見に耳を傾けるようになります。大人数では得られない効果があると思っています。プログラムを履修した先輩と後輩が一緒に活動をしたり、忘年会をしたりと、つながりが深いのも小人数だからではないかと思っています。修了生の進路調査によると、理系の研究者が一番多いですが、博物館、マスコミ勤務、官僚として活躍する人が出ています。たとえ少人数であっても、ここで育った人が触媒、結晶の核となって活動の輪を広げていってほしいと願っています。

受講生の感想は、自分の本専攻での研究テーマについて考えるきっかけとなり、大いにプラスとなったという意見が多かったです。また、漠然と子供たちに科学のおもしろさを教えたいとだけ言っていたが、その背景、社会での位置づけなどを考えられるようになったとの感想も多数ありました。もちろん、本専攻と副専攻の両方できつかったとの声もありますが、頑張って副専攻の修了証を授与された学生もかなりいます。

長々と他大学のプログラムの説明をいたしましたが、参考にしていただけましたらありがたいです。今の学生には、ちょっと立ち止まって考える時間が必要です。でも、一人ではなかなか考えられないので、バックグランドの異なる人と、自由に、楽しみながら、意見交換できるチャンスをつくって差し上げたらいいのではないかと思っています。

## リベラルアーツ教育を大学の何年生から始めるとよいのか?

全学対象の科学技術インタープリター養成プログラムは、最初の十年間くらいは当初の企画通り大学院の副専攻でした。その後、講義の一部は学融合プログラムの一つとして教養学部の後期課程の学生も受講できる両面開きとなりました。後期課程の科学技術インタープリタープログラムのシラバスには、「自然科学系の学生には、自分の研究の内容と社会的意義を人にわかりやすく説明する力を、人文社会系の学生には、現代社会において科学技術のもつ意味を考える力をつけてもらうための授業を用意しています。これからの国際社会で活躍するためには、これらの力は必須であり、「越境する知性」にふさわしい能力です。」と書かれています。大学院副専攻とは異なり修了論文はなく修了証の授与もありませんが、十数単位を取得することで「学融合プログラム・科学技術インタープリター」の修了が認められます。修了までに至るのは毎年数名いるかいないかのようですが、各科目にはそれなりの履修者がいますので、何かを学んでくれているはずです。

先に紹介した科学技術インタープリター論Ⅰなど大学院副専攻の必修科目は、大学院生のみの履修です。日本の大学では教養教育は一般に一、二年生が受講することが多いと思いますが、リベラルアーツ教育は学部三年からという考え方にも理があります。専門教育が始まるとそれに集中しなくてはいけなくなり、時間が取れないという難点もありますが。

教養教育とリベラルアーツ教育の違いは何なのでしょうか。多くの専門家がいろいろ見解を述べておられるのだと思います。石井先生は知識の限界、経験の限界、思考の限界、そして視野の限界という四つの限界からの解放であり、知識をどのように生かし、どのように連携させ、どのようにさまざまな問題の解決につなげていくのか、それを実践的に体得していくことがリベラルアーツ教育の本旨とおっしゃいました。素晴らしい定義です。最近、一般教養という言葉は使われなくなってきています。一般教養、教養教育、リベラルアーツ教育の違いや歴史をもう一度この分野に見識の深い皆さまの話を伺い、議論し、自らも考えてみたいと思っています。SDGs、人間とは何か？AIとは？地球環境問題、新型ウイルスの登場は何を意味するのか？などの人類の課題は、大学一、二年生、学部後期課程学生、大学院生どころが、一生学び続け、考え、多様なバックグランドの人と意見交換をして思索を深め、よりよい世界に変えていくために活動に結び付けていくものでしょう。ゴーギャンの有名な絵画「我々はどこから来たのか、我々は何者か、我々はどこに行くのか」を考え直し、行動に結び付けていかなくてはならない時が来ています。

学生さんにそのきっかけを与えることが大学の役目の一つと思っております。

（参考文献）
河合隼雄、佐藤文隆【編】『日本人の科学』岩波書店、一九九六年
黒田玲子『科学を育む』中公新書、二〇〇二年
藤垣裕子、廣野喜平【編】科学技術インタープリター養成プログラム『科学コミュニケーション論』東京大学出版会、二〇〇八年、新装版二〇二〇年

## パネリストのプロフィールとお薦めのリベラルアーツ関連書籍の紹介（五十音順）

古今東西、優れた教養人が読書と無縁だったことはおそらく皆無でしょう。実際、今回の議論の中でもいくつかの書籍名が挙がっていました。そこで、本書後半のプロフィール紹介のページでは、各パネリストのいわゆる型どおりのプロフィールと共に、リベラルアーツ教育に関わりのある推薦書籍をパネリストの先生による解説文付きで紹介していただくことにしました。各パネリストの素晴らしい選書のおかげで、これ以降のページが、本書の目玉の一つとも言ってよいくらい充実したものなったと自負しています。（大場裕一）

**石井洋二郎**（いしい　ようじろう）　一九五一年東京生まれ。東京大学大学院総合文化研究科長・教養学部長、同大学理事・副学長などを経て、二〇二一年四月より中部大学創造的リベラルアーツセンター長。専攻はフランス文学・フランス思想。著書に『ロートレアモン　越境と創造』（筑摩書房、芸術選奨文部科学大臣賞）、『科学から空想へ』（藤原書店）、『フランス的思考』（中公文庫）など、訳書にブルデュー『ディスタンクシオン』（藤原書店、渋沢・クローデル賞）、『ロートレアモン／イジドール・デュカス全集』（筑摩書房、日本翻訳出版文化賞、日仏翻訳文学賞）など。

**＊リベラルアーツ関連の推薦書**

**大栗博司『探究する精神』（幻冬舎新書）**

宇宙物理学の最先端を走る著者が、みずからの学問的形成過程をわかりやすい文章で書いた新書。学問の原点が知的好奇心にあることを実感させてくれる本で、理系・文系を問わず、広く教員にも学生にも読んでほしい一冊です。

**マイケル・サンデル『ハーバード白熱教室講義録＋東大特別授業（上・下）』（早川書房）**

ＮＨＫで放送された「ハーバード白熱教室」で一躍有名になったサンデル教授の講義記録。「一人を殺せば五人が助かる。あなたはその一人を殺すべきか？」など、正解のない問いに挑む学生たちと教授の議論は知的興奮に満ちていて、教員にとっても学生にとってもたいへん参考になる本です。

**石井洋二郎・藤垣裕子『大人になるためのリベラルアーツ』（東京大学出版会）**
サンデル教授の向こうを張って（？）私自身が同僚の理系教授と共同で実践した授業の記録。手前味噌になりますが、討論型授業の一つの例としてご参考になれば幸いです。

**磯谷桂介**（いそがい　けいすけ）　一九五九年名古屋生まれ。早稲田大学政治経済学部政治学科卒業。旧文部省入省後、東北大学総長主席補佐、名古屋大学理事・事務局長、文部科学省研究振興局長、科学技術・学術政策研究所長などを経て、二〇二一年四月より中部大学副学長（学術研究担当）・理事長補佐・先端研究センター教授・シニアＵＲＡ。東北大学で博士（工学）取得。専門は科学技術・学術政策。

**＊リベラルアーツ関連の推薦書**

**九鬼周造『「いき」の構造　他二編』（岩波文庫）**
戦前の偉大な哲学者九鬼が、日本文化の特徴である「いき」という概念の構造を論じた名著です。「いき」とは「媚態、意気地、諦め」からなると定義し、「いき」に関連する「上品」「下品」「渋味」「甘味」「野暮」などの概念と直六面体を使って、「いき」の特徴を明らかにしています。難解な箇所もありますが、多田道太郎の「解説」を併せ読むと理解が進み、日本文化の温もりを感じることができます。

**ルイス・ガースナー『巨象も踊る』（日本経済新聞社）**
一九九三年、崩壊の危機にあったＩＢＭの会長兼ＣＥＯに就任し、「奇跡の復活」を実現した筆者の回顧録です。危機の掌握、企業再生の戦略、リーダーシップの在り方など、経営実践・哲学の深い洞察と金言に溢れています。例えば「成功を収めている組織の三つの基本的な性格：焦点を絞り込んでいる、実行面で秀でている、顔の見えるリーダーシップがすみずみまで行き渡っている。」など、本学の建学の精神にも通じます。「企業人のバイブル」といえる一冊です。

**ユヴァル・ノア・ハラリ『ホモ・デウス：テクノロジーとサピエンスの将来（上・下）』（河出書房新社）**
イスラエルの歴史学者ハラリは、人工知能、生命工学など先端技術の急速な進歩やデータ至上主義によって、人間が「幸福」、「不死」を追求し、「神性」を手に入れようとしつつあると警告します。人類がなぜ文明を築くことができたかを壮大に論じた前作「サピエンス全史」を併読すると、「社会的存在としての人間とは何か」という根源的問いに向き合うことができます。

**井上徳之**（いのうえ　のりゆき）　一九六二年東京生まれ。核融合科学研究所で超伝導を用いた大型ヘリカル装置（LHD）建設に従事、プラズマ真空容器を担当。日本科学未来館で毛利衛館長（宇宙飛行士）のスタッフとして科学コミュニケーションに取り組む。現在、中部大学超伝導持続可能エネルギー研究センター教授、環境保全教育研究センター副センター長、創造エネルギー理工学専攻主任。著書に『スーパーサイエンスクール』（数研出版・共著）、『未来を開く最先端科学技術（全六巻）』（岩崎書店・コーディネータ）、『南方熊楠研究』（三恵社・共著）など。

## ＊リベラルアーツ関連の推薦書

**アメリカ海軍協会『リーダーシップ［アメリカ海軍士官候補生読本］』（生産性出版）**

リベラルアーツを人生を豊かにするための判断に活かす際に、極限状態での判断を誤らないための科学的手法にも触れてみよう。第3章「人間行動の研究における科学的方法」の（1）健全な懐疑主義、（2）客観性、（3）変化への即応性は特に参考にしたい。変化が永遠に続くものと認めるならば、常識や多くの解答が暫定的なものに過ぎないことを認めざるを得ない。変化に強硬に抵抗したり腹を立てたりすると、新しい問題に対するより良い回答を得ることが難しくなる。しかし、変化への即応性は、現状のあらゆる局面に対して反対することではない……。

**毛利衛『日本人のための科学論』（PHPサイエンス・ワールド新書）**

スペースシャトルに日本人として初めて搭乗した毛利衛さんは、常にものごとの「本質」を考える。科学技術研究の本質を考え、科学技術を「文化」の一つとして捉えていく。ヨーロッパ流の「好奇心を満たすための科学研究」は限界に達し、見直される日本の伝統的な科学観とは。日本人が科学技術に対してどう向き合えばよいか考える。答えを覚えるよりも、考えるプロセスを大切にする科学的な態度を、リベラルアーツのツールとして活用したい。

**木下是雄「理科系の作文技術」（中央公論社）**

推薦文に「書名で敬遠するかもしれないが文化系の人も読めば目からウロコが落ちる」とある。ロングセラーで名著とされるが、最近ではマンガ版も出ているという。大学生の私が手にしたのは発行されてすぐだったが、「7 事実と意見」など記憶に残る内容が多い。リベラルアーツの講義でも引用する場面がある。

**禹　済泰**（う　ぜて）　一九六一年韓国生まれ。韓国の大学卒業。一九八五年来日。東京農工大学大学院農学研究科博士課程修了・博士（農学／医学）。財団法人相模中央化学研究所研究員、東京工業大学助手、米国ノースウェスタン大学訪問助教授を経て、現在、中部大学応用生物学部応用生物化学科教授。中部大学生物機能開発研究所紀要編集長。中部大学創造的リベラルアーツセンター兼任。自然から多様な天然化合物を取り出し多様な生理活性を調べて人に応用する研究を行っています。柑橘類からノビレチン高純度粉末を開発し認知機能や頻尿改善する機能性食品素材として実用化実績を持っています。

**＊リベラルアーツ関連の推薦書**

**瀬木比呂志『リベラルアーツの学び方』（ディスカヴァー）**

単なる知識の蓄積や教養のための教養ではなく、現代を生きる知恵として、思考や行動に影響を与える本であります。自然科学や社会、人文学、、美術、音楽、映画など幅広い知識を総動員して問題の把握と解決能力を鍛えるためリベラルアーツを学びたい教員と学生にお勧めします。

**野家啓一『パラダイムとは何か』（講談社）**

二十世紀終盤の最大のキーワードとも言うべき「パラダイム」の考え方をおもしろく、わかりやすく説く本です。もともと一九六二年刊『科学革命の構造』というクーンの著書の中で語られたもので、パラダイム概念は、科学は客観的で中立的であるという常識を覆す衝撃的なもので、大きな影響を及ぼしたと言えます。今や日常語として「物の見方」「考え方の枠組み」の意味で使われているので学生・教員、理系・文系を問わず読むべき本としてお勧めします。

**W・ハイゼンベルク『部分と全体』（みすず書房）**

この本は量子力学分野の研究成果でノーベル物理学賞を受賞されたハイゼンベルクの学問的な自叙伝で、一生の間旅行や討論の内容を日記のように構成されています。物理学的内容だけではなく、哲学から政治、社会、文化、芸術、宗教分野の内容も多く取り扱いますのでリベラルアーツの本として理系・文系を問わず読んでほしいと思います。

**大場裕一**（おおば　ゆういち）一九七〇年札幌生まれ。山形育ち。北海道大学理学部化学科卒業。名古屋大学大学院生命農学研究科を経て、現在、中部大学応用生物学部環境生物科学科教授。中部大学蝶類研究資料館副館長。中部大学創造的リベラルアーツセンター兼任。自らの学問を「発光生物学」と称し、あらゆる発光する生物を研究している。主な著書に『ホタルの光は、なぞだらけ』（青少年読書感想文全国コンクール課題図書、くもん出版）、『恐竜はホタルを見たか』（岩波科学ライブラリー）、『光る生き物の科学』（日本評論社）、『世界の発光生物』（名古屋大学出版会）など。

**＊リベラルアーツ関連の推薦書**

**夏目漱石『三四郎』（岩波文庫）**

学生の生活は、授業だけではありません。友達、恋愛、将来への気負い、劣等感と自信。大学生になった三四郎が、悪友の与次郎、蠱惑的な美禰子、暗い実験室で研究に没頭する野々宮など、周りの人たちに振り回されながら子供から大人へと成長していきます。時代を超えて、大学生の心を打つ一冊だと思います。

**ピーター・B・メダワー『若き科学者へ』（みすず書房）**

科学とは「解決可能な問題に取り組む技（アート）である」と言い切るノーベル賞科学者（免疫学）の、きっぱりした科学指南書。将来どういった職業に進むにせよ、真剣に卒業研究に取り組む学生たちも、やはり「若き科学者」なのです。

**湯川秀樹『詩と科学』（平凡社）**

日本で最初のノーベル賞受賞者のエッセイ集。かつて、本当に優れた科学者は、リベラルアーツの体現者でもありました。最近テレビでよく見かけるエセ文化人気取りのタレント科学者たちとは大ちがいです。古典から哲学まで縦横無尽に語る湯川博士のエッセイを読むと、学生も教員も、本物のリベラルアーツを身につけなくてはいけないことに、大いに反省させられます。

**黒川　卓**（くろかわ　たかし）　一九五七年岐阜県生まれ。早稲田大学理工学部卒業、同大学院理工学研究科　博士前期課程修了後、石川島播磨重工業（現ＩＨＩ）で原子炉材料の研究開発、日経マグロウヒル社（現日経ＢＰ社）に移り、『日経超電導』記者や『日経ナノテクノロジー』編集長、日本経済新聞社に異動し科学技術部記者。国内外で科学技術を中心とする取材を行う。この間、ソビエト連邦モスクワ大学で開催された第一回「超電導国際会議」で基調講演、英科学雑誌ネイチャー編集部で日本語ページ制作チームに加わる。内閣府総合科学技術会議専門委員など政府の委員を務める。二〇一七年九月より中部大学工学部共通教育科（現　工学基礎教室）教授。東北大学特任教授、東京都市大学客員教授を兼務。

**＊リベラルアーツ関連の推薦書と映画**

以下二点は、地球上のたかが一生物である人間とは何かを考えさせてくれる推薦書

**日高敏隆『ぼくの生物学講義―人間を知る手がかり』（昭和堂）**

**宇沢弘文『経済学と人間の心』（東洋経済新報社）**

以下二点は、異なる地域出身の人間同士のつながりを感じさせてくれる推薦映画

**衣笠貞之助、エドワールド・ボチャロフ（監督）映画『小さい逃亡者』（ＫＡＤＯＫＡＷＡ）**

**荻上直子（監督）映画『バーバー吉野』（ハピネット）**

**黒田玲子**（くろだ　れいこ）　東京大学大学院理学系研究科　博士課程修了（理学博士）、英国ロンドン大学キングスカレッジ化学科リサーチ・アソシエイト、生物物理学科リサーチ・フェロー／オナラリー・レクチャラー、英国がん研究所研究員を経て、東京大学教養学部・大学院総合文化研究科　助教授・教授、総長特任補佐、経営協議会委員、ＪＳＴ ＥＲＡＴＯ 黒田カイロモルフォロジープロジェクト主宰。二〇一二年　東京理科大学研究推進機構教授。二〇一九年より中部大学先端研究センター特任教授。左右形態形成の化学・生物学を研究。スウェーデン王立科学アカデミー会員、ロレアル　ユネスコ女性科学賞、全国日本学士会アカデミア賞など。社会の中の科学に関して、東大に大学院副専攻科学技術インタープリター養成プログラム設立。総合科学技術会議議員、国際科学会議（ＩＣＳＵ）副会長、ローマクラブ正会員、ＴＷＡＳフェロー、ＩＮＧＳＡ（国際政府科学助言ネットワーク）アジア理事など。

**＊リベラルアーツ関連の推薦書**
**藤山知彦編、吉川弘之・日本産学フォーラム監修『規範としての民主主義・市場原理・科学技術　現代のリベラルアーツを考える』**（東京大学出版会）
細分化された専門分野知識を多数総合して思索・行動しなくてはならない現代に必要な共通言語としてのリベラルアーツという立場に立つ。日本産学フォーラムのリベラルアーツ研究会が主催した企業研修講座をまとめたもの。十五名のその道の専門家が歴史、宗教、思想の考察から、グローバリズム、ポピュリズム、AIネットワークに至るまでを語る。研修参加者からの質疑応答も掲載されており、考えを深めやすい。学生さんは少し難しいと感じるかもしれないが、ぜひ、読んでみてほしい。

**小西哲郎**（こにし　てつろう）　一九六二年生まれ、宮城県仙台市育ち。東京大学理学系研究科物理学専攻修了。名古屋大学理学研究科物質理学専攻（物理）を経て、現在、中部大学工学部工学基礎教室教授。中部大学人間力創成総合教育センター教養課題教育プログラム（科学リテラシー）兼任。力学の問題、特に、運動方程式により将来は定まっているのに乱れた運動が発生し予測不能となる現象、「カオス」とそれにまつわる様々なことがらに魅せられて現在に至ります。他に、ホタル集団の発光を定量的に計測することや、地形をその生成プロセスから物理過程として考えることなどに関心あり。普段はぼーっと空や近所の自然を眺めています。共編『地形現象のモデリング　海底から地球外天体まで』（名古屋大学出版会）。

**＊リベラルアーツ関連の推薦書**
**ロバート・P・クリース『世界で最も美しい10の科学実験』（日経BP社）**
厳密にいえば、リベラルアーツ、ではないのかもしれませんが、こちらを。地球が回っていること、白色の光は虹色の単色の光が混合してできたものであること、光が波であること、などなど、自然について、私たちにとっては当たり前の知識も、時代をさかのぼれば全く知られておらず、あるとき、その真相を決定づける実験があって確定したものが多くあります。この本では、科学上の発見に大きく寄与した実験を10例取り上げ、それらについて平易な解説をしています。自明だと思っていること、または、与えられた知識でそのまま受け入れていたことが、様々な試みの末に得られたものであることを知ることができたり、あるいは、科学とは何なのか、について、新しい見方が得られたりといった、ある種の「解放感」のような感覚が得られるかもしれません。青木薫さんの訳文も読みやすく、学部を問わずお勧めできる一冊。

**水上健一**（すいじょう　けんいち）　一九八二年山形市生まれ。東京学芸大学教育学部卒業、同大学院教育学研究科修士課程修了、東京医科大学大学院医学研究科博士課程修了。二〇一八年四月に中部大学に着任し、現在は生命健康科学部スポーツ保健医療学科准教授。中部大学リベラルアーツセンター協力教員。専門領域は運動生理学、運動疫学、トレーニング科学。身体活動・身体不活動と認知機能の関連性について研究を進めていて、『運動すると頭が良くなる』ことを明確に証明するとともにそのメカニズムの解明を目指す。

**＊リベラルアーツ関連の推薦書**

**レイチェル・カーソン『センス・オブ・ワンダー』（新潮文庫）**

「わたしは、子どもにとっても、どのようにして子どもを教育すべきか頭をなやませている親にとっても、「知る」ことは「感じる」ことの半分も重要ではないと固く信じています。」という一文に衝撃を受け、そして猛烈に納得した本。全ての人は少なからず他者に影響力を及ぼし・及ぼされながら生きているからこそ、あらゆる人に読んでほしい一冊です。

**外山滋比古『思考の整理学』（ちくま文庫）**

「もっと若いときに読んでいれば…」というキャッチフレーズがこれほどまでに当てはまる本を他に知りません。私がこの本に出会ったのは博士課程の時で、その時にも全く同じことを感じました。ふとしたときに読み返すと、その都度また同じことを感じる一冊です。学生生活の早い段階でぜひ読んでほしい本です。

**辻　篤子**（つじ　あつこ）　一九五三年京都生まれ。東京大学教養学部教養学科科学史科学哲学分科卒業。朝日新聞社で科学部員、アエラ発行室員、アメリカ総局員、論説委員などを歴任し、科学を中心とする報道に従事。二〇一六年一〇月から名古屋大学特任教授として大学内を取材してホームページに連載、二〇二〇年六月より中部大学学術推進機構特任教授。専門は科学ジャーナリズム。著書に『名大ウオッチ』『名大ウオッチ2』（名古屋大学）、共著に岩波講座『科学／技術と人間2専門家集団の思考と行動』（岩波書店）、共訳書に『惑星へ』（カール・セーガン著、朝日新聞社）など。

**＊リベラルアーツ関連の推薦書**

**ヴィクトール・E・フランクル『夜と霧』（みすず書房）**

心理学者がナチスの強制収容所での体験をもとに記したもので、半世紀を越える永遠のベストセラーとしてあまりにも有名ですが、人間とは何か、人間が生きる意味は何なのか、静かに語りかけてきます。若い人に読んでもらいたいと、新編集・新訳版が今世紀になって出版され、より手に取りやすくなりました。

**加藤陽子『それでも、日本人は「戦争」を選んだ』（朝日出版社）**

社会で起きていることを日々判断し、未来を予測するときに、私たちは無意識に過去の出来事との類推や対比をすることになりますが、そのときに若い人たちの頭や心に歴史的事例がどれだけ豊かに蓄積されているかが決定的に重要だと著者はいいます。歴史的なものの見方とはどういうものか、どうやって身につけるのか、実例をもとに語った講義の記録です。

**立花隆『ぼくはこんな本を読んできた』（文春文庫）**

「ぼくが知りたいと思うただ一つのこと、ぼく自身とはいったい何者であるのか、ぼくとぼく自身とはいかに関わりあっているのか、ぼく自身と他者はいかに関わりあっているのかということ、それを知るためにぼくは本を読みつづけ、生きつづけてきたはずだった」。あくなき知識欲から「知の巨人」と称せられたノンフィクション作家はこう書いています。自分を知るために読むとはどういうことか、そのヒントを与えてくれます。

**津田一郎**（つだ　いちろう）　一九五三年岡山県生まれ。北海道大学理学研究院数学専攻教授、同大学数学連携研究センター長、電子科学研究所副所長などを経て、二〇一七年四月より中部大学創発学術院教授、二〇二一年四月より創発学術院副院長、ＡＩ数理データサイエンスセンター長を兼任、二〇二二年四月より創発学術院院長。北海道大学名誉教授。専攻は応用数学（特にカオス理論）、複雑系科学、計算論的脳神経科学。主な著書に『カオス的脳観』（サイエンス社）、『複雑系のカオス的シナリオ』（金子邦彦と共著、朝倉書店）、『Complex Systems—chaos and beyond』（K. Kanekoと共著、Springer）、『心はすべて数学である』（文藝春秋）、『脳のなかに数学を見る』（共立出版）、『数学とはどんな学問か？』（講談社ブルーバックス）。二〇一〇年度HFSP Program Award、二〇一三年度ICCN Merit Award、二〇二〇年度第四回日本神経回路学会学術賞、二〇二一年度第十一回藤原洋数理科学賞大賞などを受賞。

**＊リベラルアーツ関連の推薦書**

**デカルト『精神指導の規則』（岩波文庫六一三─四）**

精神を正しく導くための21の規則が書かれている。『1＋1＝2』であることを明晰に直観することから始まるとある。デカルトは科学的合理主義を先駆けただけでなく物事を考える基本に直観を据えていた。どんな学問をやるにせよ出発点になるのではないかと思う。

**ポアンカレ『科学と仮説』（岩波文庫九〇二─一）**

科学とは何かをはじめから考え直す機会を与えてくれる。科学にとって仮説の果たす積極的な役割が書かれている。科学は単なる仮説の寄せ集めではなく、体系だった仮説を検証していくプロセスであることが明快に語られる。

**夏目漱石『吾輩は猫である』（新潮文庫）**

人間であることに疲れたら時々猫になってみるのもよい。人間とはなんと滑稽な生き物だろうか。かなり趣は異なるが、人間を裏側から見る視点という意味でジョナサン・スウィフト『ガリバー旅行記』（角川文庫、あるいは最近では朝日新聞デジタルの新訳）もおもしろい。

**松本吉博**（まつもと　よしひろ）　一九五七年京都生まれ、京都育ち。京都大学理学部、大学院理学研究科分子遺伝学専攻卒業後、米国スタンフォード大学、ニューヨーク州立大ストーニーブルック校にてポスドクとして研究、その後フォックスチェイス癌センターにてメンバーとして、ニューメキシコ大医学部にて研究准教授としてDNA修復、複製、抗がん剤などの研究に携わる。二〇一六年に帰国し、現在、中部大学応用生物学部教授。

**＊リベラルアーツ関連の推薦書**

**ジャレド・ダイアモンド『銃・病原菌・鉄』(草思社)**

本書の冒頭にある、人類文明の初期において栽培可能な植物、家畜化可能な動物のそれぞれの特性と地理的分布がその後の文明の発展に如何に大きな影響を与えたかという指摘は、これまで歴史を文系の学問として見做してきた私にとって、理系の自然科学からの見地が歴史の理解にも必須であると気付かされ、非常に衝撃的でした。その後も、家畜動物から人に感染した病原体がアメリカ大陸の侵略に与えた効果、新しい技術の発明における情報の伝搬が地理的環境に左右されることなど、進化生物学・分子生物学・地理学・考古学など様々な学問領域の成果を取り入れた内容は、リベラルアーツが目指している世界の見方に通じると思います。

**立花隆『宇宙からの帰還』(中公文庫)**

現在、日本人の宇宙飛行士もいるし民間人が宇宙に行くことも可能な時代になりましたが、地球から宇宙に出て行った時の実際の体験がどんなものかはなかなか伝わり難いと思います。本書は、一九八〇年代のアメリカの宇宙飛行士に直接インタビューして宇宙での体験を詳細に訊き出した記録です。そのころの宇宙飛行士は全員軍人か工学系のガチガチの理系人間なのに、ほぼすべてが宇宙体験で精神的なインパクトを受けたと言い、しかしその内容が人によって異なるなど、大変興味深いものです。立花隆は数多くの本を書いていますが、私にとって本書は「人間の本質とは何か」を考えるきっかけとなりました。

（参考文献）

石井洋二郎『差異と欲望』藤原書店、一九九三年
石井洋二郎【編】『21世紀のリベラルアーツ』水声社、二〇二〇年
河合隼雄、佐藤文隆【編】『日本人の科学』岩波書店、一九九六年
ジャレド・ダイアモンド『銃・病原菌・鉄』草思社、二〇一二年
津田一郎『心はすべて数学である』文藝春秋、二〇一五年
A Project of the American Chemical Society『改訂 実感する化学（上・下）』エヌティーエス、二〇一五年

中部大学ブックシリーズ　Acta 35
**理系学生のためのリベラルアーツ**

2023年2月10日　第1刷発行
定　価　（本体800円＋税）
編著者　大場　裕一
発行所　中部大学
〒487-8501　愛知県春日井市松本町1200
電　話　0568-51-1111
ＦＡＸ　0568-51-1141

発　売　風媒社
〒460-0011 名古屋市中区大須1-16-29
電　話　052-218-7808
ＦＡＸ　052-218-7709

ISBN978-4-8331-4158-1